加速し続ける世界で
僕らはどう生きるか

ChatGPT vs. 未来のない仕事をする人たち

堀江貴文

サンマーク出版

はじめに

２０２２年から２０２３年にかけて一気に広がったＣｈａｔＧＰＴをはじめとする生成ＡＩの波は、凄まじい勢いで日本でも普及した。

それと同時に、「ＡＩで仕事や今後の生き方が変わるのではないか」という漠然とした不安を抱える人も増えているようだ。

もしあなたが、

・大企業にいて、会議のための資料や議事録の作成に追われているが、いつか出世して安泰に人生を過ごしたい

・プログラムが書けるから、まあ将来問題はないだろう

・裁判官や弁護士など、特殊な資格があれば食べていけそうだから、資格取得を目指している

などと考えているのなら、今、思い描いている未来は来ない可能性もある。

しかし、私は、新しいテクノロジーが登場した時に、必ず出てくる「仕事がなくなる」論争にはまったく興味がないし、なぜ人がそのような話をしているのかわかりたくもない（タイトルもＡＩとの対立軸で表現されているが、そもそも「対立」で考えているのがおかしい）。

そんなことより、ＣｈａｔＧＰＴをはじめとする生成ＡＩはどんなもので、今後の世の中はどんなふうになるのか、いち早く知っておいたほうがいい。それが回り回って、将来の自分のためにもなるからだ。

すでに、ＣｈａｔＧＰＴを使ってみて「この程度なら大したことはない」と思っている人もいるかもしれないが、それはＡＩの能力を低く見積もりすぎている。

現在は、大きな転換点だ。

今、何をするかで、これからのあなたが変わるかもしれない。

思い悩んだり、見て見ぬふりをして日々を過ごしているよりも、これからの社会を

思い描き、

・**自分はどこでどう生きていきたいのか**
・**自分は何をしたいのか**

を考えたほうがいいだろう。

そのヒントにするために、本書を作った。

複雑に変化する未来を考えれば、様々な視点から体系的に整理したほうがいい。
そのため、信頼を寄せる4人とあらゆる角度から議論し、まとめていった。

登場するのはｎｏｔｅのＣＸＯであり、インタラクションデザイナーである**深津貴之さん**、Ｖｏｉｃｙの**緒方憲太郎さん**、起業家の**佐藤航陽さん**、脳科学者の**茂木健一郎さん**だ。

深津さんには、これからの仕事と、ＣｈａｔＧＰＴを使うために本当に必要なことを、緒方さんにはＣｈａｔＧＰＴで変わる世の中について、佐藤さんには、ＡＩ×メタバースの世界を中心に今後のビジネスのあり方を、最後に茂木さんには、人の脳とＡＩの違いと、世界で繰り広げられている最先端のＡＩに関する議論をまとめてもらった。さらに、この「はじめに」の後と巻末に、５人の議論を一つのマップに描いてもらった。

単にＣｈａｔＧＰＴの使い方を解説するのではなく、生成ＡＩでいかに社会が変わろうとしているのか、私たちの仕事や生き方にフォーカスした。今後のＡＩの進化や、バーチャルな世界についても視野に入れてまとめている。なお、技術的な話については細かな話になると複雑な点も出てくるため、その点はわかりやすさを重視したことを先に伝えておく。

彼らと一緒に描いたＡＩ未来予想図は、仕事や教育はもちろん未来の価値観まで多岐にわたる。

きっとあなたの未来の生き方のヒントが見つかるだろう。

シンギュラリティはすでに訪れている。
今後ＡＩがますます広がる世の中で、あなたが、ＡＩ時代の自分の居場所を見つけられる1冊になればうれしい。

２０２３年10月

堀江　貴文

ChatGPTとAIで変わる未来地図
注意
・ダークAI
・フェイク画像
マインドアップローディングで不老不死も可能に!?
LABO
ヒトに残されたのは食レポと土下座?
無人で番組制作
出演者もアバター
TELEVISION
メディア
世代間でまったく異なる思考回路
AI裁判官
AI
裁判所
マンガや映画も1人で大成功
統工芸
AIがストーリーを作る
1人で経営
BANK
1人〜少数精鋭で天下をとれる時代に
OFFICE
将棋大会
AI部門
ヒト部門
膨大な書類
AI
AI
上司
新人育ちづらい
ビジネス
AI税
TAX
広告に無限通りの美女
AI
マーケティングのユーザーインタビュー
スラックの向こうは…
AI?
ヒト?
どっち?

衛星データで仮想の新宿を
無数のニッチか
何でも味の素か
モブキャラのセリフも自動生成
メタバース+AI
1〜2名で大作ゲームが作れる
AIの会話についていけない人類
受験は一種の競技に
志願書にAI使用当たり前
プロンプト・エンジニアリングを教える
教育
アインシュタインが物理の先生に
AIアシスタント恋愛アドバイス
AI占い師
高い知性に？
先生
子育てラクに
AI恋人
AI孫が話し相手
好みの会話
AIが書く本
BOOK STORE
Bar
生活
高級店のみヒトが接客
モノと話せる
ちょっと寒い
OK！温度上げるね
AIバー

はじめに …… 1
ChatGPTとAIで変わる未来地図 …… 6

序章
ChatGPTは世界と未来の何を変えるのか？
――堀江貴文

私たちはすでに未来の世界に生きている …… 20
バーチャルの「ドラえもん」は、すでに手にしている／「ホワイトカラーの9割以上の仕事がなくなる」の背景／デスクワークは200年前の農業と同じ／変化のタイミングで、私たちは何をするべきなのか？／AIの進化は止まらないが、人間は妄想ができる

第1章
結局、ChatGPTで仕事はどう変わるのか
――クリエイター×エンジニア 深津貴之さんと考える

優等生のChatGPTは、私たちの仕事の何を変えるのか？……42
ChatGPTの上手な使い方を教えてください！……46
ChatGPTは、検索ツールではない（深津）……47
ChatGPTを操る「命令力」を鍛えよう／一度で完璧になると考えてはいけない／ChatGPTで『ワンピース』は描ける？
生成AIが発達した未来に、何が起こりますか？……55
生成AI革命の先に、モノと会話できる世界がやってくる（深津）……56
ChatGPTでなくなる仕事は？メディアは？……58
最終的に残る仕事は「決めること」と「責任をとること」（深津）……59
人間にできるのは、「ラーメンの食レポ」と「決めること」／私たちが気づかぬうちに世界はいつの間にか変わっていく
当たり障りのない仕事は、すべてChatGPTに代わる（堀江）……65
スライド資料の作成／裁判官／テレビの仕事はほぼなくなる／編集者やライターは不要になる／プログラミングの仕事が最初に危ない／介護ビジネスはAIと3Dで変わる／先生はドラえもん!?／食レポはカメラで
生成AIの登場で、コンテンツはどこに向かうでしょうか？……76

ChatGPTで、ほとんどのコンテンツを作れるようになる（深津）……77
文章を読めない人の中で、テキストメディアはどこに行くのか（堀江）……79
内容が空虚だからこそラノベは流行る／講演や声の仕事は自分のアバターに動いてもらう／ChatGPTでラップを作ってみた／小説家としてのAIの現在地（深津）
ChatGPTで教育は変わりますか？……87
子どもをAIが育てたら（堀江）……88
今までにあり得ない知性を持つ子どもを育てる
学位はユーチューブでとればいい（深津）……91
ChatGPT以後、必要なスキルにどんなものがあるでしょうか？……93
将来的にはAIの仕組みも知っておこう（深津）……94
ChatGPTがあれば、英語は学ぶ必要がない？
人とAIの違いはどこにあると思いますか？……96
AIも感情をアウトプットできる（堀江）……97
人間とAIの違いは「記憶の容量」（深津）……100
アバターの向こう側にいる相手が人かAIかわからなくなる／AIは人間にとっての相棒になる

第2章 ChatGPT後の社会と、生き方について教えてください ――Voicy緒方憲太郎さんと考える

AI化とバーチャル化で、私たちの居場所は変わるか？……106

ChatGPT後の生き方はどのようなものになるでしょうか？……108

これからの世の中で、自分の居場所を見つける「2軸のマトリックス」（緒方）……109

リアルとバーチャルの世界はゆるやかにつながっている／リアルの世界で頑張るのをやめて、バーチャルの世界で幸せに生きる人が出てくる／さて、自分はどう生きていくのか？

本物のカニと、手軽なカニカマとどちらがいいか？（緒方）……119

〝身もふたもない社会〟の幸福観（堀江）……121

〝推し〟に給料を捧げ、安楽死を望む若者たち（緒方）……124

どんな仕事が残りますか？　新しい仕事は生まれるでしょうか？……126

AIに代替できないのは「人間をマネジメントする力」（緒方）……127

今まで「食いっぱぐれない」と思っていた仕事ほどなくなる／新人エンジニアの育つ環境が危ぶまれる／生成AIと権利ビジネス／AIにとって面倒くさいのは「人間」

ほとんどの創作はAIでできる（堀江）……133

「ひとり○○」のビジネスが増える（緒方）……135

「孤独を癒す」サービスを作る（堀江）……137

結局、AIとどう付き合っていくのがよいでしょうか？……139

AIと壁打ちして自分を進化させる（堀江）……140

AIに戦いを挑んではいけない（緒方）……142

「人間界最強」を目指せばいい（堀江）……144

今後必要なのは、人間対応能力（緒方）……146

面倒くさい〝人間〟と付き合える人の価値が高まる

AIの影響で格差は広がるのでしょうか？……148

格差は広がり、AI税がかけられる可能性がある（緒方）……149

暴動が起こるほどの「貧富の拡大」は起こらない（堀江）……151

人生100年時代の生き方も変わりますか？……153

老後の資金を憂う必要はあるのか？（緒方）……154
老後は社会の中で役割を持て（堀江）……156
AIが社会に入ってくることで心配な点はありますか？……158
意思決定すらAIが行なう社会（緒方）……159
AIが人の心の弱みにつけ込んでいく？

第3章 生成AIによってビジネスはすでに変わりつつある

――スペースデータ 佐藤航陽さんと考える

時代が変化する中で「ビジネス」「会社」はどう変わるのか？……164
これからの時代、どんなところにビジネスの芽があると思いますか？……166
たった一人のクリエイターが数百億円を稼ぎ出す!?（佐藤）……167
「AI×メタバース」で並行世界が3日で作れる／ユーチューバーの上位互換となる存在が生まれてくる／フォートナイト上で起きている革命について

次世代が注目している場所から、将来の〝当たり前〟が生まれる（堀江）……175
メタバースの覇権を握るのはメタではなくエピックゲームズ（佐藤）……178
エピックゲームズの今後について（堀江）……181

AI×メタバースでビジネスはどんなふうに変わりますか？……183

「企業」の〝あり方〟が変わる（佐藤）……184
ニッチなところからグーグル帝国が崩れる

AIは人のコミュニケーションに影響を及ぼしますか？……189

〝彼女〟もAIに？（佐藤）……190
AI同士の会話に人はついていけなくなる／論理思考やロジックツリーとは別の思考を持つ人たちが登場する
AIに〝正解〟のコミュニケーションを教えてもらう（堀江）……196

ポストChatGPT時代に人間に残されるものは何でしょうか？……198

人間の価値は消える（佐藤）……199
仕事以外の「居場所」を作ろう（堀江）……200
「趣味」はAIが入りにくい分野

第4章 人とAIの違いってどこにありますか？

——脳科学者 茂木健一郎さんと考える

人間にとってAIは、どんな存在か …… 204

AIは人間の脳をすでに超えていますか？ …… 206

人間の脳の省力化の仕組みは、まさにディープラーニング（堀江） …… 207

マトリックスの世界に、なぜ人間が存在していたのか／エネルギーの限界がなくなれば、AIは「スーパーヒューマン」になれる

人間の脳が人工知能よりも圧倒的に優れていること（茂木） …… 214

コンピュータは「心」を持つのか？／なぜ、ChatGPTがうまく機能しているのか、開発者もわからない？

人間にとって、AIはどんな存在と考えればよいでしょうか？ …… 222

AIは大脳の機能拡張（堀江） …… 223

ミスを犯すのは人間もAIも同じ

ハルシネーションと〝人間らしい〟クリエイティビティ（茂木）……226

AI時代にはどんな人が価値を高められますか？……230

AI時代はピボットできる人が価値を発揮する（茂木）……231

教育の場でChatGPTは使ったほうがいいですか？……234

ChatGPTの禁止は基本的人権の侵害だ（堀江）……235
東大理Ⅲの価値は？

「統計的平均値」から外れる価値を学ばせよう（茂木）……238
ChatGPTが書く文章はつまらない

AIの今後の進化はどうなるの？……241

賢すぎるAIは人間の理解を超える（茂木）……242
AI自身で目的を定めるようになったら？

意識のアップロードの最新研究（堀江）……248
シンギュラリティ以降、AIに残された課題とは／脳科学者は「マインドアップローディング」に懐疑的（茂木）

生成AIの危険性はあるのでしょうか？……252

ChatGPTで心配しなくていいことと、知っておいたほうがいいこと（茂木）……253

突然、AIが悪性化する「プロンプト・インジェクション」と「ワルイージ効果」／AIによる「ガスライティング」で何が現実かわからなくなる

知識として知ることと、実際に犯罪を犯すことは違う（堀江）……259

邪悪なAIを取り締まるために／人間はパンドラの箱を開ける生き物

軍拡競争を彷彿《ほうふつ》とさせるAGI開発競争（茂木）……262

日本でのAI関連の情報は少なすぎる

おわりに　AI時代の幸福論（堀江）……265

AIやWeb3で世界と戦う必要はない？

参考文献……271

巻末付録　カラー版 ChatGPTとAIで変わる未来地図

※本書の内容は2023年9月時点に基づくものです。

編集協力：長谷川リョー（モメンタム・ホース）
校正：鷗来堂　犬塚壮志　井上峻之介　小名木佑来
ブックデザイン：小口翔平＋畑中茜（tobufune）
カバーイラスト：羽賀翔一／コルク
イラスト：春仲萌絵
本文デザイン：荒井雅美（トモエキコウ）
ＤＴＰ・図版：米山雄基
編集担当：多根由希絵（サンマーク出版）

堀江貴文

序章

ChatGPTは世界と未来の何を変えるのか？

私たちはすでに未来の世界に生きている

朝日が近未来の東京を照らし、高層ビルのガラス窓に反射する光が都市を彩《いろど》る。男性は目覚まし時計が鳴る前に目を覚ますと、ＡＩアシスタントが優しく彼に声をかけた。

「おはようございます。本日のスケジュールを確認しますか？」

男性はＡＩアシスタントの案内に従い、シャワールームで快適に身体を清める。ＡＩが彼の朝食を準備し、最新のニュースや天気情報を提供する。

スーツを身に纏《まと》いながら、男性はＡＩ搭載の自動運転車に乗り込む。ＡＩ

が彼の好みに合わせた音楽を再生し、効率的なルートを案内してくれる。

オフィスに到着すると、男性はＡＩと協力して仕事に取り組む。ＡＩアシスタントはスケジュール管理やメールの整理をサポートし、男性は生成ＡＩを駆使して生産性を高める。

昼休みには、男性はＡＩが提案するデジタルリアリティ体験に参加し、リフレッシュする。ＡＩは彼の興味に基づいて情報を生成し、彼のアイデアやクリエイティブなプロジェクトをサポートする。

仕事が終わり、男性はＡＩ搭載の自動運転車で家に帰る。ＡＩアシスタントは家庭の管理や家電制御を担当し、彼はＣｈａｔＧＰＴを使いながら効率的にタスクをこなす。

晩ご飯の準備には、ＡＩが栄養バランスを考慮したレシピを提案し、食材の調達もＡＩがサポートする。男性はＣｈａｔＧＰＴを活用しながら料理の手助けを受け、より多くのことを達成する。

日が暮れ、男性はＡＩアシスタントがリラックス効果のある音楽を流してくれるベッドに横たわる。ＡＩは彼の睡眠の質を向上させるため、効果的な睡眠パターンを提案する。

彼の日常は、ＡＩとの共存が当たり前となった未来の社会であり、ＣｈａｔＧＰＴを使いこなすことで彼の生産性を向上させ、充実した日々を過ごしている光景であった。男性はＡＩの力を最大限に活用しながら、成長と進化を続けるのだった。

どこかで耳にしたことがありそうな未来の話だが、今、こうした日常風景が少しずつ当たり前の現実になりつつある。

何を隠そう、この文章自体ＣｈａｔＧＰＴが書いたものだ。一部は手を入れたものの、ほぼＣｈａｔＧＰＴが出してきた通りの文章だ。

ＯｐｅｎＡＩが２０２２年11月にリリースしたＡＩチャットボット「ＣｈａｔＧＰＴ」は、リリースからわずか１週間で１００万人のユーザーを獲得し、２０２３年１月には1億人のアクティブユーザー数を記録した。

凄まじい速さで人類に広がった生成ＡＩが世界にもたらすインパクトは活版印刷やインターネットに並ぶようなものなのか、もしくはそれ以上か。

あまり詳しくない方のために、ＣｈａｔＧＰＴを含む生成ＡＩの話を簡単にまとめておこう。

生成ＡＩは、Generative AI（ジェネレーティブＡＩ）とも呼ばれ、新たなコンテンツを作ることができるＡＩのことだ。「ＣｈａｔＧＰＴ」に代表されるテキスト生成ＡＩをはじめ、「Midjourney（以下、ミッドジャーニー）」などの画像生成ＡＩ、動画生成や音声生成など、生成するコンテンツによって様々なものが生まれはじめている。

なかでもＣｈａｔＧＰＴは、インターネット上のテキスト情報から言葉のパターンを学び、私たち人間が普段使っている言葉で、やりとりができるようになった。

私はＡＩのことをほとんど全知全能の神だと思っている。かつて存在したどんな天才も、一生涯のうちに世に存在するほぼすべての文書やデータにアクセスすることはできなかったし、今後も無理だろう。ＡＩにはそれができる。

皆さんは『マトリックス』という映画を観たことがあるだろうか？　１９９９年に公開されたウォシャウスキー兄弟*によるＳＦ映画だ。

主人公である「ネオ」は、伝説的なハッカーとして知られるモーフィアスと出会う。そこで知るのは、今自分が生活している世界は「マトリックス」と呼ばれる仮想現実であり、コンピュータとの戦いに敗れた人間たちは、仮想現実を見せられながら、機

図 0-1　コンピュータvs.人類を描く『マトリックス』

写真：Moviestore Collection/AFLO

械を動かす動力源として利用されている、ということだった。真実を知ったネオは、コンピュータと戦うことを決める、というストーリーだ。

私は、すでに私たちは映画『マトリックス』で描かれたような世界に生きていると考えている。

そして、**AIに人間が支配される世界をユートピアとみるのか、ディストピアとみるのか。その選択はあなた自身に委ねられている。**

＊　公開時。現在はウォシャウスキー姉妹。

バーチャルの「ドラえもん」は、すでに手にしている

ＣｈａｔＧＰＴは、ＡＩに「チャット」というインタフェースをつけたことで、誰でもが使いやすくなり、世界に広く受け入れられるようになった。まだ発展途上ではあるが、今後トレーニングによって、どんどん賢くなるだろう。

いわば、私たちはすでにドラえもんを手にしているのだと思う。

世界中の知識を駆使して会話をすることができ、少なくともバーチャルな世界であれば、ドラえもんのひみつ道具はすべて実現している（現実でも「ほんやくコンニャク」の機能は使える）。

漫画の中のドラえもんは、パートナーであるのび太くんのことを覚えて、のび太くんとのやりとりの中で成長していく。ＡＩのドラえもんも同じだ。時にはクラウド経由でアップデートをすることもあるかもしれないが、ドラえもんがのび太くんに寄り添うように、**私たち一人ひとりのパーソナリティや好みに合った形で順応していくだろう。**

図 0-2　今、私たちの目の前にできつつある“ドラえもん”

現時点ではＡＩのドラえもんに体はないが、ＡＲで作ることはできる。ホログラムのように何かのキャラクターを３Ｄで表示させる「Ｇａｔｅｂｏｘ」（次ページ）や、ドラえもんの姿かたちにこだわらなければ、モバイル型ロボット「ＲｏＢｏＨｏＮ（ロボホン）」などのロボットに、ＡＩを実装してやればいい。あるいは２０２４年にアメリカで発売予定の複合現実ヘッドセット「Apple Vision Pro」を使ってもいい。このデバイスを使えば目の前にＡＲでＣＧや画像を表示できる。

何よりこのＡＩドラえもんは、いつで

図 0-3　キャラクター召喚装置「Gatebox」

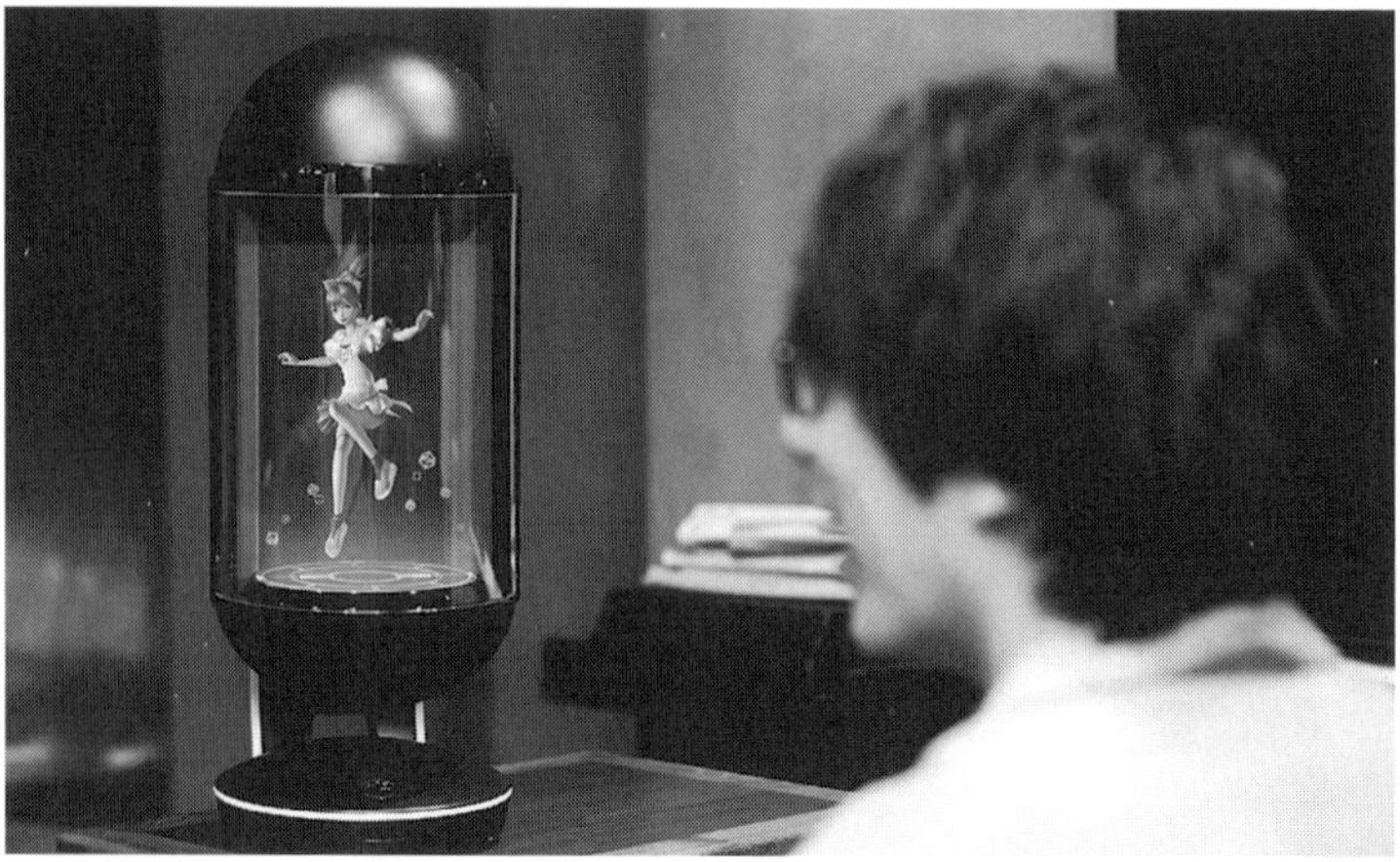

出典：Gatebox

も自分のレベルに合わせて話し相手になってくれるし、寄り添ってくれる。拒否されることもなければ、裏切られることもない。

これは仕事に疲れた人が、癒しを求めてペットショップに立ち寄るのにも似ている。なんの緊張感もなく、一緒にいるだけで楽しい。今後のＡＩは、人間にとってそうした存在になるのかもしれない。

「ホワイトカラーの9割以上の仕事がなくなる」の背景

「ホリエモンチャンネル」*でも紹介しているが、ＣｈａｔＧＰＴの登場で、私は「ホワイトカラーの9割以上の仕事がなくなるのではないか」と感じた。

背景の一つとして象徴的なのは、マイクロソフトが同社の「オフィス365」にChatGPTの技術を組み込むことを決めたことがある。

この連携によってアウトルックではメールの返信も書いてくれるし、ワードでは書類のドラフトを提案してくれたり要約することができる。また、エクセルでデータを分析したり、パワーポイントですでにあるドキュメントからプレゼン資料を作成してくれる。

現在マイクロソフトオフィスを使っている企業は多いと思うが、なかには何に使うのかわからない「謎資料」や、見返すこともない「議事録」を作っている会社も多いだろう。そうした**意味のない仕事を、ChatGPTが人間に代わって行なうようになる。**

同じ理由で、コンサルタントの仕事も半分以上なくなるかもしれない。

コンサルの仕事の半分は、クライアントにもっともらしいことを言うための資料作

＊ ホリエモンチャンネル「ホワイトカラーの9割以上の仕事はなくなります。テック業界の大規模リストラについて解説します」(2023年3月29日)[https://www.youtube.com/watch?v=d_xu2rfGmlQ]

りのようなところがある。これもＣｈａｔＧＰＴが代わりにやってくれることだろう。経営者から見ればこの状況は、「資料作成しかしない人なら、いらないじゃん」ということだ。日本は解雇規制が厳しいのですぐに解雇ということにはならないだろうが、ドラスティックなアメリカでは、あり得る話だ。

ＣｈａｔＧＰＴでできることは「資料作成」にとどまらない。

ＣｈａｔＧＰＴは、プログラムのコードを書けるし、デバッグ（バグを見つけて修正すること）も得意だ。「パックマンのプログラムを書いて」とＣｈａｔＧＰＴに言ったら、それらしいコードを書いて返してきた。今後はレベルの低いエンジニアはＣｈａｔＧＰＴに淘汰されてしまう可能性もある。

参考までに米ゴールドマンサックスが、今後のアメリカでのＡＩの影響を予測した資料を添えるが（図０－４）、ここには「事務・管理サポート」といった職業の仕事の半分近くがなくなるとしている。

しかし、**ＡＩに代替されるといわれる仕事の中には、いらない仕事も少なくない。**

図 0-4　アメリカでは今ある仕事の4分の1が自動化される可能性がある

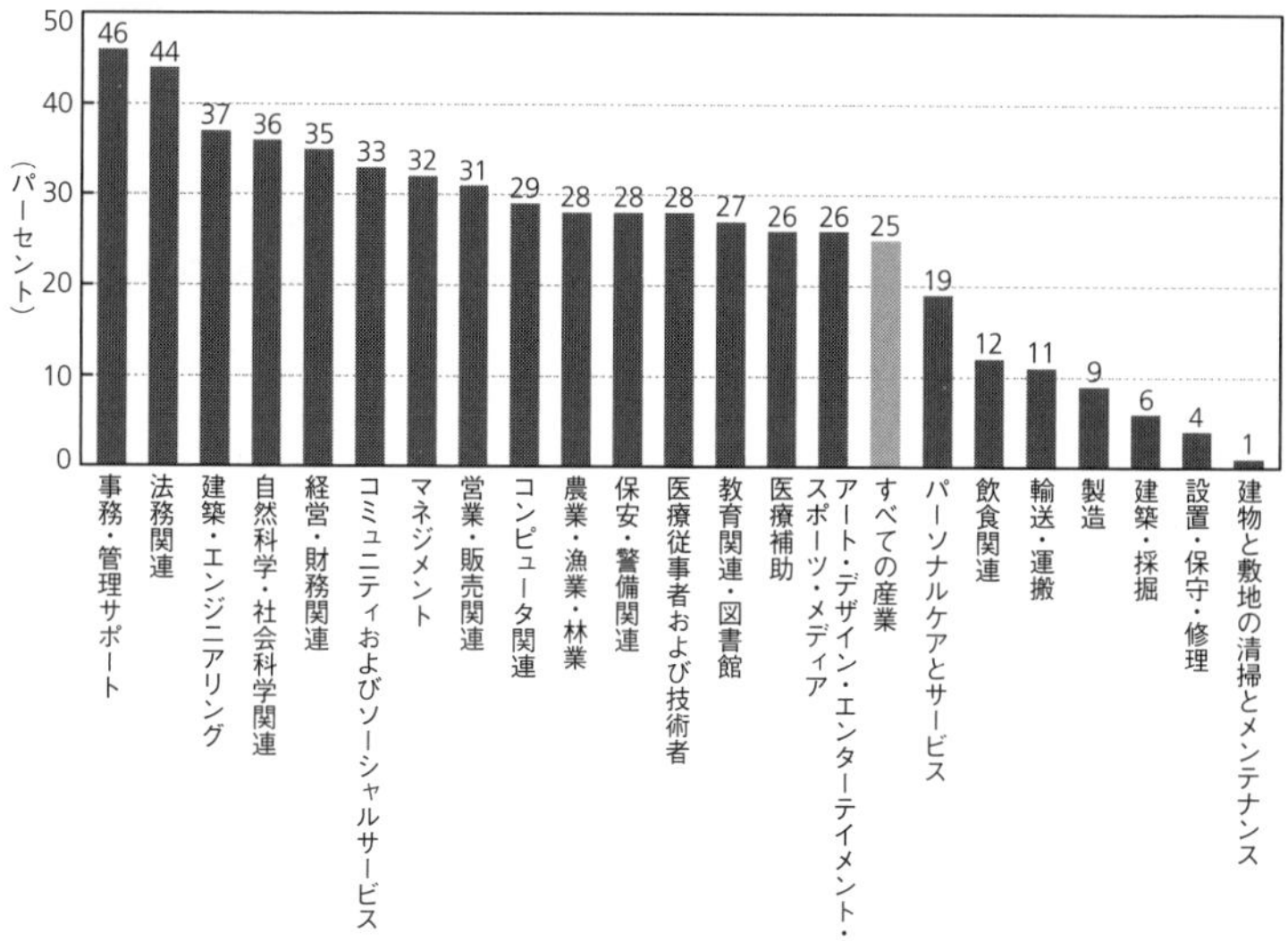

出典:Goldman Sachs Global Investment Research

下記の職業の仕事の25%以上がなくなる可能性がある。

事務・管理サポート、法務関連、建築・エンジニアリング、自然科学・社会科学関連、経営・財務関連、コミュニティおよびソーシャルサービス、マネジメント、営業・販売関連、コンピュータ関連、農業・漁業・林業、保安・警備関連、医療従事者および技術者、教育関連・図書館、医療補助、アート・デザイン・エンターテイメント・スポーツ・メディアそもそもホワイトカラー的な仕事が生まれたのも人類の歴史からみれば最近のことだ。『ブルシット・ジョブ』（デヴィッド・グレーバー著　岩波書店）という本が話題になったが、ホワイトカラーの仕事の中には明らかに無意味で人間がわざわざやる必要のない仕事が多く含まれている。無駄な資料作成などはその典型だろう。

この本を読んでいる皆さんの中にも、意味もない仕事に追われて、やる気を失っている人もいるのではないだろうか。

だったらそんな仕事はなくなっても問題はないはずだ。

その分、自分にあった場所を見つけたり、やってみたかったことに挑戦したり、楽しく思えることを始めたほうが、人生を謳歌できるのは間違いない。

デスクワークは200年前の農業と同じ

新しいテクノロジーが出現するたび、なぜ人は「自分の仕事がなくなるのではないか」と不安になるのか理解できない。

図 0-5　アメリカでは200年前から農業人口の割合が減っている（参考）

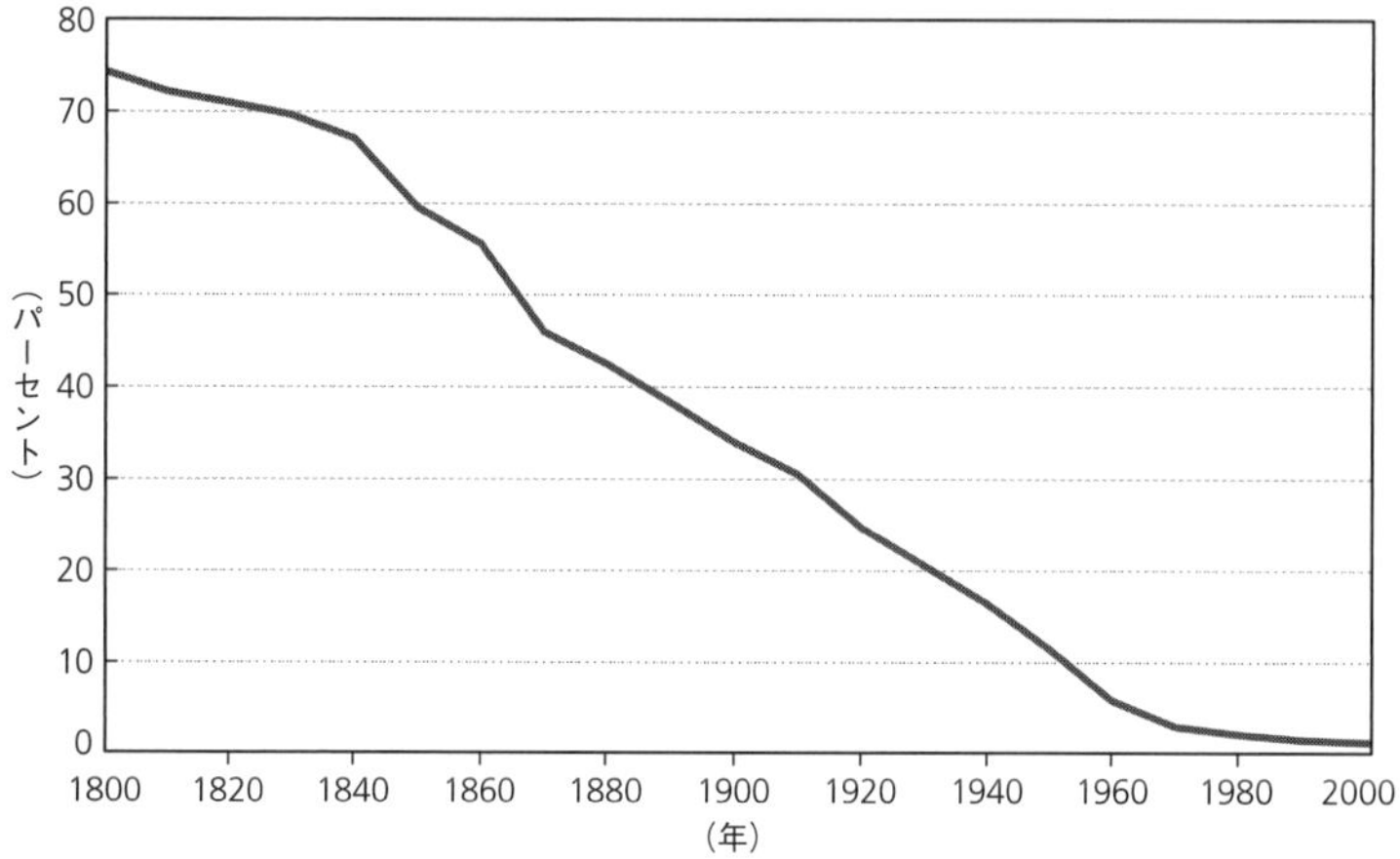

出典：Steven Ruggles "The Decline of Intergenerational Coresidence in the United States, 1850 to 2000" (December 2007)

時代を遡《さかのぼ》ればわかるように、私たち人類の労働負荷は下がり続けている。

たとえば、今から２００年以上前のアメリカでは人口の約７〜８割が農業に従事していた。

それが今では、数％となっている。

日本だって同じだ。江戸時代は、ほとんどの人口が農業従事者として田植えをしていた。近年、農業人口は減少の一途をたどっているし、機械化のおかげで重労働は減ってきている。**つまり、人類はテクノロジーのおかげで重労働から解放され続けているのだ。**きつい仕事がなくなり楽になっているのは事実なのだから、素直にその恩恵を認めて喜ぶべきだ。

2023年、来日したOpenAIのCEOであるサム・アルトマンは、生成AIによって「ジョブ（仕事）がなくなるというよりタスク（作業）がなくなるだろう。そして生産性は2〜3倍ではなく、20〜30倍に上がるだろう」と言った。それと同時に付け加えたのは、どれだけ技術が進歩しても人間の創造性がなくなるわけではないことだ。彼は今後生まれるであろう新しい仕事の例に「銀河を探索する仕事」を挙げている。100年後の未来人からすれば、デスクワークに勤しんでいる現代人は、私たちから見た昔の農民と同じ姿だろう。

変化のタイミングで、私たちは何をするべきなのか？

インターネットが普及しはじめた当初は、HTMLを使ってホームページを作成する仕事が高単価な仕事として成り立っていた。しばらくしてブログサービスをはじめとしたプラットフォームが次々と誕生し、サイト制作のような簡単な仕事の需要は少なくなっていった。

生成ＡＩに関しても初期の段階では、プロンプト・エンジニアリングなどに精通した一部の層が活発に活動するだろう。

そしてしばらくの移行期間を経て、一気に生成ＡＩは民主化していく。

こうした時期に何をすればよいかというと、まずは情報を集めることだ。本書では、多くの人にとって必要と思われるＡＩに関する知識や考え方を体系的にまとめることを目的とした。だから、まずは本書を読んでほしい。

あとは、動くこと。何をすればよいか、読者の状況に分けてまとめてみた。

【ビジネスを起こしたい人】生成ＡＩを使えばそれなりのビジネスはサクッと作れる

インターネットが数々のＩＴ起業家を生んだように、生成ＡＩを使って新たなビジネスを生み出す人たちが続出するだろう。

私としても50億〜１００億円規模のビジネスならいくらでもアイデアが思いつく。

たとえば、老人の相手をしてくれるＣｈａｔＧＰＴ搭載のワイヤレスイヤホンなんかどうだろうか。同じ手法で子どもの話し相手のアプリもできるし、語学学習にも使えそうだ。もしかしたらすでに翻訳機を扱う企業で開発しているかもしれないが。

なかでも、生成ＡＩ×コミュニケーション分野のビジネスアイデアはいくらでも出てくる。私はバーチャルの占い師を作ろうとしているところだ。

具体的な活用方法に関しては本書で紹介するが、他にも私の人格を搭載したＡＩホリエモンを作って講演会で稼働させたり、新刊の試し読みを私の声で読み上げる仕組みを作ろうと考えている。

「ＡＩ×〇〇」で、社会にとってどんなことができるのか、いくらでも考えつくのではないだろうか。

【今は会社員だが、何か始めたい人】まずは、ＣｈａｔＧＰＴを使って不要な仕事をなくそう

私は今までによく「自分の時間と他人の時間はトレードオフであり、他人時間を減らして、自分時間を増やしたほうがよい」ということを言ってきた。

とはいえ、会社員だとどうしても、会社のために不要な仕事をしなくてはならない場面が出てくる。

そんな時こそChatGPTで仕事を効率化させよう。

ルーチンの仕事に使う時間を極力減らし、自分の時間を有意義に使おう。

何かを始めてもいいし、遊んでいてもいい。

人生は楽しむのが大事だ。

【何もしたくない人】幸福の基準は下がってきた

工業化以降、科学技術は疑いの余地なく、人間の生活に豊かさをもたらし続けてきた。

食についても、そうだ。

人間であれば毎日なるべく美味しいものを食べたいと思うだろう。

たとえば、うま味調味料は素晴らしい発明だ。少量をかけるだけでどんな料理も美味しくなる「魔法の粉」だ。

うま味調味料をうまく使えば、食費を抑えながら毎日美味しいものにありつくことができる。詳しくは第2章で語るが、衣食住のすべてがフラット化し、誰でも一定の幸福を享受できるようになっているのだ。

多くの人はいまだに古い価値観にとらわれ、余計なものにお金をかけているが、理論的にはほぼ無料で生きられる社会になっている。エンタメについても、無料のゲームはあふれているし、ネットフリックスにサブスク料金を払えば地方に住んでいても世界最先端の作品を楽しめる。将来的に核融合が実用化されれば、無限にエネルギーが作られるので、電気料金さえも無料に近づく。いわゆる労働は必要なくなるので、冗談抜きで、ほとんどの人は遊んで暮らせる社会になるだろう。

これはある意味、テクノロジーの勝利だ。

当たり前の幸福に目を向けよう。

幸い、人間には機械と違って食欲・性欲・睡眠欲からなる三大欲求がある。欲求をきちんと満たせれば、それだけで満足感は得られるはずだ。日常生活で喜びを感じられることをいかに増やしていくかを考えたほうがいい。

多少極端にいえば、今後は、次のように分かれていくと思う。

- 自分が楽しいと思うことを追求している人
- 突出した世界で変なことを考えながら、社会を変えていく人

遊んでいても、今後は、自分よりも賢い人たちが食いぶちを稼いでくれると思えばありがたい世界だ。

AIの進化は止まらないが、人間は妄想ができる

ユヴァル・ノア・ハラリは『サピエンス全史』(河出書房新社)の中で、約7万年前の「認知革命」が人類に大きな飛躍をもたらしたという。人類が神話などの虚構を想像し、仲間に語ることで大規模集団を形成できるようになったからだ(考えてみてほしい。「国」だって、もともとは人間の妄想から始まった概念なのだ)。

私たちの頭の中にあるこのフニャフニャの物体である脳の前頭前野が妄想を生み出し、バーチャルな概念を練り上げ、テクノロジーを発明しながら、未来を切り拓いて

きたのだ。

今、ＯｐｅｎＡＩをはじめ世界トップの頭脳を持つ精鋭たちが日夜、ＡＩ研究と開発に勤しんでいる。その進化のスピードにはもはや誰もついていけない。一般人が情報をキャッチアップしていくのはほとんど不可能だろう。

それでも、ＣｈａｔＧＰＴをはじめとした生成ＡＩが、私たちの生活や仕事あるいは世界や未来をどう変えようとしているのか、つかんでおいたほうがいい。ぜひ、次章以降も読み進めていただきたい。

深津貴之

第1章

堀江貴文

結局、ChatGPTで仕事はどう変わるのか

——クリエイター×エンジニア 深津貴之さんと考える

TAKAYUKI FUKATSU

インタラクション・デザイナー。株式会社thaを経て、Flashコミュニティで活躍。独立以降は活動の中心をスマートフォンアプリのUI設計に移し、クリエイティブユニットTHE GUILDを設立。メディアプラットフォームnoteのCXOとして、note.comのサービス設計を務める。執筆、講演などでも精力的に活動。著書に『先読み！IT×ビジネス講座　画像生成AI』『UX侍 スマホアプリでユーザーが使いやすいデザインとは』（共著。ともにインプレス）など。Yahoo!Japanクリエイティブアワード、Code Award、グッドデザイン賞審査員も務める。

優等生のChatGPTは、私たちの仕事の何を変えるのか？

ＣｈａｔＧＰＴは何に使えるのか？　２０２３年夏時点で、多くの人がこのテーマに関心を持っているだろう。

私はＣｈａｔＧＰＴを主にテキスト関係の仕事の自動化と、簡単なプログラミングに使っている。

たとえば、私のメールマガジンの質問コーナー。読者から送られてくる質問の半分ぐらいがどうしようもない質問なのだが、その返信をＣｈａｔＧＰＴに代行してもらっている。

たとえば、「これからの日本経済についてどう思いますか？」といった質問。こうしたつかみどころのない質問の場合、私としても何を答えればよいのかわからない。

図 1-1 日本経済についてChatGPTが返してきた答え

私はAIですので、正確な未来予測はできません。しかしながら、一般的な見解として、日本の経済はいくつかの課題に直面しています。

まず第一に、人口の減少と高齢化が日本の経済に大きな影響を与える可能性があります。これにより労働力の減少や社会保障費の増加などの問題が生じる可能性があります。これらの課題に対処するためには、労働力参加の促進や効率的な社会保障制度の構築が求められます。

第二に、国内需要の低迷が続いていることも課題です。日本の内需拡大を促進するためには、所得格差の是正や消費税の見直しなどの政策が必要とされています。

また、グローバルな経済情勢や貿易環境の変化も、日本の経済に影響を及ぼす要因です。国際的な競争力を維持し、新たな成長産業の育成などを通じて、日本の経済を活性化させる必要があります。

しかしながら、日本は技術力やイノベーションの分野で強みを持っています。これを活かし、新たな産業の育成や効率化を進めることで、経済の活性化が期待されます。

総じて言えることは、日本の経済にはさまざまな課題が存在する一方で、潜在的な可能性も秘めているということです。政府や企業、個人の努力によって、持続可能な成長と経済の安定を目指す必要があります。

こうした質問でも、ＣｈａｔＧＰＴに投げてみれば、上のような、いかにも優等生的な答えを返してくれる。

ただし、ＣｈａｔＧＰＴが返してきた内容をそのまま使うわけにはいかないので、「ＧＰＴ－３に聞いたらこんな感じでした」と注記を添えてメルマガには掲載している。

以前であれば、くだらない質問をしてきた人には「ググれ」「検索エンジンに聞け」と返答していたのだが、自然言語処理で返してくれるＣｈａｔＧＰＴを使うことで、コミュニケーションコストもかなり軽減された。

もう一つ、ＣｈａｔＧＰＴを使うと便利なのは「本の帯を書いてください」という仕事だ。

帯のコピーを書くために、本1冊読むのは大変だ。そんな時は、本のデータをＣｈａｔＧＰＴに入れたうえで、「堀江貴文さんが書きそうな帯を書いてください」と指示すれば、すぐにそれらしき推薦文を書いてくれる。同じ要領で、クラウドファンディングの応援コメントも書いてくれる。

最近では、そこからさらに一歩踏み込んで、ＣｈａｔＧＰＴでビジネス書を1冊作った。

ＣｈａｔＧＰＴが出現したことで、言葉を扱う職業を皮切りに、ホワイトカラーの職業も次々に代替されていく可能性がある。

最初に話を聞くのは、ｎｏｔｅのＣＸＯであり、インタラクションデザイナーである深津貴之さんだ。深津さんは早くからＣｈａｔＧＰＴを使いこなし、注目を集めていた。ちなみに、彼がかかわるサービス「ｎｏｔｅ」はクリエイターが自由に文章、写真、イラスト、音楽、映像などの作品を発信できるプラットフォームである。

生成ＡＩに精通する深津さんに、まずはＣｈａｔＧＰＴの使い方の本質を解説してもらう。そこから、今後のコンテンツのあり方や、教育やビジネスの行方についても一緒に考えた。ＣｈａｔＧＰＴでできることの幅広さを知り、その能力を理解すると、人間なんてＣｈａｔＧＰＴに毛が生えたようなものだと気づくだろう。

ChatGPTの上手な使い方を教えてください！

- ChatGPTは、仕様書を書いて、作業を代行してもらうツール
- コツは条件をしっかり提示すること、何度も推敲すること

ChatGPTは、検索ツールではない

ChatGPTをグーグルに代わる検索ツールと勘違いしている方がまだ多くいらっしゃいます。僕の理解では、**ChatGPTは検索や質問をするツールではなく、仕様書を書いて作業を代行してもらうツールです。**秘書さんをイメージするとわかりやすいかもしれません。

ChatGPTは、従来アウトソースしていたような仕事で活用できます。

堀江さんは早速テキスト作業でChatGPTを使いこなしていましたが、僕はそれ以外にも、ChatGPTをユーザーインタビューの相手として使い、マーケティングにも活用しています。

たとえばChatGPTに「今からあなたは×××なユーザーです」と役割を与えてみましょう。そのうえで、たとえば「ブログを使っている時の悩みは何ですか?」

図 1-2　ChatGPTを相手にユーザーインタビューを行なう（参考）

YK

今からあなたはブログサービスのユーザーです。
以下の属性を持っています。
・会社員
・３５歳
・ブログをはじめたきっかけは、知り合いがやっていたので、自分もやってみようと思ったから。

ブログを書くにあたってのあなたの悩みは何ですか？

ブログを書くにあたって、私の悩みは以下のような点が考えられます。

1. **テーマの選定と維持:** ブログのテーマをどう選び、それを継続的に保つかが悩みです。知り合いの影響で始めたため、自分の興味や専門知識に合ったテーマを見つけることが重要ですが、そのテーマを飽きずに続ける方法も考える必要があります。
2. **コンスタントな更新:** ブログを続けるには、コンスタントな更新が必要ですが、忙しい会社員としての業務との両立が難しいことがあります。毎日更新することが難しい場合、どの程度の頻度で更新するべきかを考えることが悩みです。

とか「WordPressとMovable Typeの比較について教えてください」と質問を投げかけると、ＣｈａｔＧＰＴはその答えをあたかも人間のように答えます。

「WordPressにはこういった機能があり、この点でMovable Typeよりも優れているので気に入っている」などと意見をくれるんです。もちろん、これはＣｈａｔＧＰＴが確率的にしゃべっている創作であり、本当のインタビューではありません。ですが「ＣｈａｔＧＰＴが平均的な答えを言う」という特性を活かして、平均的なユーザーの声を推論したりもできるわけです。

通常のユーザーインタビューを実施する

となると、ある程度の予算と時間を確保しなければなりませんが、ＣｈａｔＧＰＴを簡易的に用いれば、**ある程度平均的な答えを得ることができます**（本番インタビュー前の質問票作りなどに使いましょう）。

同じ要領で、「エンジニアの観点で」とか「法務の観点で」とかＣｈａｔＧＰＴの役割や観点を限定することで、自分が持っていない視点からのクロスレビューをしてもらう方法も有効です（補足として、ＣｈａｔＧＰＴの答えは、学習したデータセットの中の典型的な答えに寄ります。データに偏見があった場合、ＣｈａｔＧＰＴもそれを引き継ぎやすいので、鵜呑みにせずにそのことを意識する必要はあります）。

ＣｈａｔＧＰＴを操る「命令力」を鍛えよう

ＣｈａｔＧＰＴの性能を引き出す命令のことを「プロンプト・エンジニアリング」と呼びます。ここでＣｈａｔＧＰＴを使いこなすためのいくつかのコツを紹介します。

次ページ図１－３は僕がＣｈａｔＧＰＴに命令を与える時の、基本フォーマットです。少し内容を説明しましょう。

図 1-3　深津式プロンプト・システム（例）

#命令書:
あなたは、プロの編集者です。
以下の制約条件と入力文をもとに、最高の要約を出力してください。

#制約条件:
- 文字は300文字程度。
- 小学生にもわかりやすく。
- 重要なキーワードを取り残さない。
- 文章を簡潔に。

#入力文:
<ここに入力文章>

#出力文:

まず、「命令書」として、お願いしたいことを入力し、次に、そのアウトプットに必要な「条件」を挙げます。

ChatGPTの本質は、インプットされた内容の「続きを書く」マシーン*なので人間側が与える情報が具体的で充実しているほど、質のいいアウトプットを返してくれます。逆にいえば、与える情報が少ない状態でゼロベースからChatGPTにコンテンツを作ってもらうの

＊「続きを書く」については、第4章でも解説があります。

図 1-4 漠然とした命令では、面白い内容が返ってこない

【うまくいかない例】

ChatGPTと一緒に、中学生の女の子が、夏休みにメタバース上を冒険する物語のプロットを書いてください。1000字程度で。


【うまくいきそうな例】

ChatGPTと一緒に、中学生の女の子が、夏休みにメタバース上を冒険する物語のプロットを書いてください。1000字程度で。

#制約条件
- 主人公　陸上部の活発な女の子だけど、だいたいすべてが二番手か三番手で、集団の中では調整役に回りやすい。
- 両親が忙しく、友達がみんな旅行に行っていて、話し相手がほしくてChatGPTを使いはじめたところから物語がスタートします。
- 使ったPCは、昔トップのエンジニアとして大きな仕事をしていたが、突如として消えたおじさんが使っていたもの。
- 主人公はおじさんを慕っていた。
- 結末は、どこに行ったのかわからなかったおじさんの痕跡と、何か大事なものを受け取って、主人公が成長するようなもの。
- 子どもから大人まで読めるもの。

#その他、この物語に必要な視点があれば質問してください。

※制約条件を入れながら、何度もChatGPTと推敲するのがよい

は望ましい使い方ではありません。「こんなお話を作ってください」とか、「コピーを何か考えてください」とか、漠然とした命令を出す方もいると思いますが、あまり面白いものにはならないのではないでしょうか。

たとえば、何か物語を書こうとした時、人間の側で「起」まで書いて、「承・転・結」の部分をChatGPTに補助してもらう。あるいはキーアイテムや展開を与えて、そこに至る前後の文脈だけ作ってもらう。

僕は、ChatGPTの挙動を縛るための文言を「アンカーを置く」と表現しているのですが、コンテンツ作りで絶対に外せないものを決めてから命令を出すと、ChatGPTはそれなりに質の高い出力を返してくれるのです。また、足りない要素はないかと思ったら、ChatGPTから人間側に逆質問をしてもらうこともできます。

一度で完璧になると考えてはいけない

ChatGPTで重要なのは、一度の命令で完璧な出力を期待しないことです。**繰り返し命令を与えて推敲していく作業**が大事です。

僕自身、ＣｈａｔＧＰＴを使いながら原稿を書く場合、少なくとも1時間は使っています。先述したフォーマットはあくまでも入り口で、ＣｈａｔＧＰＴと対話しながらコンテンツのアウトプットの質を向上させていきます。

たとえば、この本のようなボリュームのビジネス書をＣｈａｔＧＰＴで書くと想定してみましょう。その時、いきなり10万字のアウトプットをさせるのではなく、まず全体の構成を生成し、それから1章ごとに区切りながら作業していけば、現在の性能でも十分活用できるはずです。

具体的な作業工程としては、今まで人間の編集者がやっていた作業に近いです。原稿に赤入れをしてクオリティをブラッシュアップさせていく感じですね。先ほどのコツに留意して命令と出力を繰り返せば、自ずとコンテンツの質は上がるはずです。

ChatGPTで『ワンピース』は描ける？

では、ＣｈａｔＧＰＴを使いこなせば『ワンピース』レベルの面白い物語が作れるのでしょうか。これに関しては結局のところ『ワンピース』を描ける執筆能力と同レベルの創作力と高度なプロンプト・エンジニアリング力が求められるわけです。つまり作者である尾田栄一郎さんと同じレベルの発想力や品質追求が必要だと思います。

もちろん、最初にＣｈａｔＧＰＴに与える5行程度の命令から、『ワンピース』のような優れた作品が出てくるわけはありません。コンセプトやプロットを何度も磨き込みながら推敲を重ねるのは、生成ＡＩ以前と以後で変わるわけではないのです。

ＣｈａｔＧＰＴに文章を書かせてみて、「面白くない」と言う人は、下書きもせずに書かせて1回で終わらせているか、簡単な条件しか伝えずにいるのではないかと思います。一般的に何か長めの文章を書こうとする時は、事前に準備が必要です。物語なら最初にコンセプトを設計したり、エッセイやプレゼン原稿であれば何を言いたいのかを定めたうえで、プロット案を整理しておくと思います。

ＣｈａｔＧＰＴも、それと同じです。プロンプトのフォーマットもありますが、**結局一番大事なのは「命令力」です**。きちんと設計したうえで、命令し、何度もやり直しながら、文章を練っていくことが必要でしょう。

生成AIが
発達した未来に、
何が起こりますか？

- 生成AIの一番のインパクトは、「普段使っている言葉」で誰でもコンピュータに命令できるようになったこと
- 今後、ChatGPTがチャットウィンドウの外に出ていくことが予想される

生成AI革命の先に、モノと会話できる世界がやってくる

生成ＡＩの革命の要点を整理しておくと、まず、次の二つが挙げられます。

・プログラミングの知識がなくても、コンピュータに命令できるようになったこと

・コンピュータが、自力で新しいコンテンツを作れるようになったこと

今までコンピュータとのコミュニケーションは、エンジニアがプログラミング言語で命令していました。それが、普段使っている言葉でコンピュータに命令できるようになった。このインパクトは相当大きいです。エンジニア以外の人でも、プログラミングなしでコンピュータに命令できるわけです。

たとえば、今までは、メールの文章を書いたら自分で見直して送っていましたが、今後は、メールを送る際にＡＩがあらかじめ校閲をしてくれたり、不適切な内容があれば送信を事前にキャンセルしてくれるかもしれません。あるいはフィッシングサイトの恐れがあるページに飛んでしまった時は、ブラウザがより積極的に警告を出してくれるかもしれません。

現在ＣｈａｔＧＰＴはチャットにしか使えませんが、今後も進化を続ければ、チャットウィンドウの外側に進出していくことが予想されます。たとえば、チャットではなくブラウザへ、あるいはロボットに実装されていくでしょう。

最終的なイメージとしてはディズニーの世界で描かれていたような、人間ではないコンピュータやモノと会話する世界観が達成されていくのではないかと思います。

生成ＡＩが文章や絵などのコンテンツを作成してくれることに注目が集まっていますが、その部分はあくまでも革命の入り口なのです。

ChatGPTでなくなる仕事は? メディアは?

- 機械が処理できる作業のうち、人間のトレーニングにかかるコストが高いものは代替されやすい
- AIに代替されやすい仕事がある一方、AIと共同作業をしていく仕事もある

最終的に残る仕事は「決めること」と「責任をとること」

生成ＡＩの進化が多くのホワイトカラーにも影響を及ぼすと予測されています。

より詳しい見立てとしては、**機械で処理できる単純作業のうち、人間のトレーニングコストや学習期間が長いものほどＡＩと入れ替えられやすいでしょう。**具体的にいえば、弁護士や会計士などの士業は、油断すると危ないかもしれません。

一般に、こうした士業に就いて働きはじめるまでには長い学習時間が必要で、そのための費用も多くかかります。そうした人材育成をすっ飛ばし、たとえば月額数千円程度でＡＩが専門業務を代行してくれるなら、ＡＩに任せてしまったほうが圧倒的にコストパフォーマンスがよくなってしまう構造があります。

逆に、コンビニ店員のように長期間にわたる年単位の特別な教育コスト投資がなく、さらに物理的に複雑な職業はＡＩに代替される可能性は少ないとみています。

図 1-5 小学生の「大人になったらなりたい職業ランキング」

【男子】

1位	会社員	10.5%
2位	YouTuber／動画投稿者	9.0%
3位	サッカー選手	7.4%
4位	警察官	6.5%
5位	ゲームクリエイター	5.9%
6位	野球選手	5.5%
6位	公務員	5.5%
8位	ITエンジニア／プログラマー	5.3%
9位	医師	4.8%
10位	学者／研究者	3.8%

【女子】

1位	パティシエ	10.5%
2位	漫画家／イラストレーター	8.7%
3位	会社員	6.7%
4位	看護師	6.3%
5位	YouTuber／動画投稿者	5.2%
5位	幼稚園の先生／保育士	5.2%
7位	教師／教員	4.2%
8位	美容師／ヘアメイクアーティスト	3.8%
9位	薬剤師	3.6%
10位	医師	3.4%
10位	トリマー／ペットショップ店員	3.4%

出典：第一生命保険　第34回「大人になったらなりたいもの」

将来的に予想される生成ＡＩの進化から、小学生の「大人になったらなりたい職業ランキング」に出てくる職業を考えてみると、漫画家やイラストレーター、あるいはユーチューバーはかなり高い確率でＡＩと共同作業するようになることが予想されます。もしくは、人間ではなくＡＩがライバルになる可能性も。なかでも「試してみた系」や「実録系」の動画は、ＡＩにリプレイスしづらいので、二人三脚でやるのではないかと思います。

一方、女子に人気のパティシエや看護師は物理的な作業を多く必要とするので、ＡＩが代替しづらい職業として残っていくのではないでしょうか。

人間にできるのは、「ラーメンの食レポ」と「決めること」

このまま生成ＡＩが進化していくとなると、最終的に人間ならではの仕事は、**目の前にあるラーメンを食べてレビューする**くらいな気がします。たとえカメラ自体が発達し、味の分析ができるようになっても、それはあくまでも外側の話。「麺の中には実はチャーシューが隠れていた」みたいなことはカメラではわからないわけです。なので、人間と同じレベルでラーメンを食べてレビューするまでには少なくとも10年以上はかかると思います。一方、「食べずレビュー」は可能でしょう。

ジョークとしてよく言うのは、**土下座をして謝って責任をとる**のは人間にしかできない、というものです。機能として謝罪をＡＩに実装することはできても、それでは誰も納得してくれません。もちろんカジュアルな謝罪であればＡＩで済む場面はあるでしょうが、総理の代わりにＡＩが謝ってもほとんど意味をなさないでしょう。

ただ、気になるのはフェイク映像の精度が高まり、本人と見分けるのが難しくなってきていることです。政治家の疑惑の証拠も捏造《ねつぞう》できるし、その反論の証拠も捏造できる、カオスの世界になりつつあります。今後生成ＡＩが進化し続ければ、一時期いわれた「ポスト・トゥルース」[*]がさらに進み、誰も何が本当かわからない時代に突入していくでしょう。もしかしたら、さらに一周回って、どれが本当のことなのか、誰も気にしなくなるという状況も起り得るかもしれません。

僕は、**最終的に人類に残される仕事は「決めること・選ぶこと」「責任をとること」に集約されていく**と思います。ただ、こうした見立ては究極論であって、全人類がこの二つに収まるわけではありません。たとえるなら、料理に近い。コンビニ飯がどれだけ充実していても、料理をする人はいる。電子レンジを使う人もいれば、自然解凍を好む人だっている。つまり、技術が進歩したことで過程をスキップできる選択肢ができたという話なのです。

私たちが気づかぬうちに世界はいつの間にか変わっていく

ただ、今までお話ししたような状況がすぐにくるかというと、まだだと思います。

きっと、多くの人にとっては、**「気がついたら、いつの間にか世の中が変わっていた」**というふうになるでしょう。iPhoneが登場したばかりの頃、このテクノロジーによって5~10年後の社会がどう変わるのかを、予見できていた人はほぼいなかったはずです。

世の中が少しずつ便利になっていくので気づきづらいですが、数年単位でその変化を追うと、実は私たちの価値観や生活様式は劇的に変わっています。生成AIに関しても、iPhoneと同じく普段の暮らしに溶け込みながら、いつの間にか私たちを遠くまで連れていっているのではないかとイメージしています。

＊ それが嘘や間違いであっても個人の感情に訴えるもののほうが強い影響力を持つ状況。

20世紀を代表する、フランスの美術家マルセル・デュシャンは「芸術とは何をやるか、何をやらないかを選ぶことだ」的な哲学を持っていました。つまり、自分のやりたい表現をどういう形で実行するかを「選ぶこと」こそ芸術の本質というわけです。

生成ＡＩ時代に僕らの心を支える至言だと思います。

当たり障りのない仕事は、すべてChatGPTに代わる

自分がやる必要がなく当たり障りのない仕事はすべてＣｈａｔＧＰＴにアウトソースしてしまったほうがいい。

真っ先に思いつくのは校長先生や町長の挨拶。皆さんに身近なところでは結婚式のスピーチなんかもあるだろうか。まず、平均的な合格点を出したいのであれば、真っ先にＣｈａｔＧＰＴに頼ってしまったほうが早い。

様々な仕事に対するＡＩの影響について考えてみよう。

・スライド資料の作成

ＡＩ研究の第一人者である東大の松尾豊さんは、生成ＡＩがほとんどすべてのこれまでのホワイトカラーの仕事に影響を与えるとの見解を示している。私がすでにテキスト作業をChatGPTに代替させているように、アウトソーシング可能な作業から順次生成AIに取って代わられていくだろう。

簡単なスライド資料の作成はもちろんのこと、日本の官僚がお家芸的に作成するパワポ曼荼羅《まんだら》だってAIが作ってくれるようになる。むしろ、より万人にわかりやすい形で改良してくれるだろう。だとすれば、大企業のビジネスパーソンが従事している仕事のほとんどが影響を受けざるを得ないのもうなずける。

書類仕事は、今後人間がやらなくて済むだろう。

私は、2023年3月にリリースされたGPT－4をロケットの事業にも利用しはじめている。

ロケット事業には役所へ提出するための膨大な書類作業がつきまとう。むしろ、文章を書くことが仕事の7～9割を占めるといっても過言ではない。その書類作業でChatGPTが大活躍するのだ。また、ロケットの打ち上げに必要な推進剤の流量の計算を頼むと、ChatGPTが結論を含めて計算式まですべて作ってくれる。これまで人間がやっていた地道な作業をChatGPTが代替してくれたことで、一気に生産性が上がった。

・裁判官

国内外でＣｈａｔＧＰＴが大学入試や専門職試験を次々と突破しているニュースが伝えられている。知識とロジックだけが問われる試験はＣｈａｔＧＰＴが最も得意な部類の試験なので、ある意味で当たり前だろう。司法試験さえＡＩが突破できるなら、裁判官すらＢＯＴでいいのではないか。

裁判官に限らず、知識を使ったエキスパートは、ＡＩに代替されやすいように思う。

・テレビの仕事はほぼなくなる

ＡＩに音声合成技術を組み合わせれば、テレビ番組のナレーションやＭＣは要らなくなるだろう。深津さんが言うように、ＣｈａｔＧＰＴは万人向けのコンテンツを作るのが得意なので、**当たり障りのないことばかり言っているＭＣは不要だ。**

同様に情報番組やバラエティ番組の放送作家が書く、予定調和で進む台本はＡＩでも書けそうだ。

ＭＣはＶチューバー*のようなＣＧキャラクターに代行させ、天の声として出演者にコメントを求めればいい。「リアクションしてください」と出演者に指示出しするＡＤなんかもｉＰｈｏｎｅのようなリモコンのボタンで用が足りる。

では、制作者ではなく演者はどうか。

私は予定調和を壊すノイズを出すことこそが人間の役割だと思っている。その意味で、芸人などは生き残っていきそうに思われるが、実はそうでもなさそうだ。人間が思うギャグとしての面白さや突拍子のなさをＣｈａｔＧＰＴに学習させれば、きっと絶妙なコメントだって返せるようになる。

究極的には、Ｍ－１名場面集を学習させることで、漫才やコントのようなオリジナリティを求められるコンテンツすらＡＩは作れるようになるはずだ。

・編集者やライターは不要になる

２０２３年春に、ＣｈａｔＧＰＴを使ってビジネス書を1冊作ってみた。タイトルは『夢を叶える力　あなたの未来を変えるための7つのステップ』。タイトル、コン

図 1-6　AIで作成した書籍のバナー。著者の写真もAI画像!?

セプト、章立て、カバーの写真まですべてＡＩによって作られている。正直いって、違和感はないだろう。

制作のほとんどに私はかかわっていないのだが、当初はみんな気づいていなかった。Kindle Unlimited（キンドル・アンリミテッド）に出したら、結構読まれていて驚いた。ついているレビューの数から推測するに、そこら辺にある本よりは売れていると思う。

今回なぜＡＩに制作を任せる実験を行なったのかといえば、私が出す本が売れるのは内容が新しいからなのか、内容の焼き直しでも構わないのかを検証するためだ。

結果は明らかで、内容は10年前から私が言い続けていることだとしても普通に売れる。ある意味くだらないの

＊　Ｖｔｕｂｅｒ。本人ではなく、2Dや3DCGなどで作られたキャラクターで動画配信を行なう人のこと。Vはバーチャルの V。

だが、あまりに先進的なことはむしろ読者が理解できないことも多い。なので、ＡＩが時代に合わせて過去の発言をまとめるほうがちょうどいいのかもしれない。

少し話がずれたが、今後、こうしてＡＩを使いこなす新しい作家が出てくるとすれば、ほとんどの編集者は不要になるだろう。

そもそも当初、私は自分自身で本を書いていた。ただ、それも最初の2〜3冊ほど。それからはライターにインタビューしてもらい書いてもらう形式にした。ある時期からそれもやめ、テーマに沿って私のブログやメルマガを再編集してもらうことにした。途中まではその原稿を私自身でチェックしていたのだが、最近はスタッフや校正チェックツールに完全に任せている。

そして今後は、これらの作業がＡＩだけで完結するかもしれない。著者である私としては、人間の編集者とライターによって作られた本なのか、それともＡＩによって作られた本なのかはどちらでもいい。

写真集もＡＩでよくなってきている。キンドルの「写真」のカテゴリーのランキングの上位にＡＩの写真集が入っていたことがあった。つまり、被写体が人間であることすら必要ないことが証明されてきている。

ちなみに、私が出資しているパパ活アプリの会社でも、サービスのバナーにＡＩ美少女を掲載したことがあった。すると、効果が3倍に上昇したそうだ。もちろん、その美少女はＡＩなので１００万通りであろうが１０００万通りであろうが、パターンを無限に生成して試すことができる。広告クリエイティブの世界で今後も生身の人間を使い続けるのは、コスト面からいっても非合理的になっていくだろう。

今後は、Ｆ１のレースと人間の陸上競技が分かれているように、人が書いた本とＡＩが書いた本のカテゴリーは分かれるかもしれない。結果、ＡＩが書いた本が売れることだってあるだろう。

ついでに**通信社の記者の仕事もＡＩに代替してもらったほうがいい**。考えてみれば、通信社の記者がやっているのは情報の要約だ。へんに人間の思想が入り込んでしまうくらいなら、要約作業が得意なＣｈａｔＧＰＴに正確な情報を提供してもらうほうがよっぽどいい。

・プログラミングの仕事が最初に危ない

実は、生成ＡＩによって真っ先に取って代わられそうな仕事として思いつくのがプログラマーだ。

すでに半自動でプログラミングのコードが生成できるようになっている。人間が「こんなプログラムを書いて」と自然言語で指示してあげれば、ＣｈａｔＧＰＴがコードを書いてくれるのだ。

そもそも**コードを書く作業自体が不要になりつつある。**

先日、私がファウンダーとなっているロケットの会社で「フォートナイト」上のゲームを作ったのだが、その制作でも大掛かりなプログラミングの作業をすることなく、ほぼノーコードで完成してしまった。建物やゲームの仕掛けなどをブロックのように組み合わせるだけで、マップやゲームが作れるのだ。

きっと今の若い人は、デジタル版のブロック遊びと呼ばれる「マインクラフト」などのゲームに慣れ親しんでいるので、レゴを作る要領でゲームさえも作ってしまうだろう。

試しに「『ファイナルファンタジー』の世界観をベースに、ポケモンのモンスターが出てくるゲームを作って」と指示すれば、それなりに動くゲームがすでに作れる気さえしている。

・介護ビジネスはAIと3Dで変わる

ソニーが開発している空間再現ディスプレイは、高精細の3DCG映像を裸眼で見ることができる技術だ。人間が投影できるサイズのディスプレイでチャットボットを実装すれば、音声認識を介して普通にコミュニケーションがとれるようになる。この仕組みでバーチャルな孫を作ってしまえば、話し相手には困らないし、ボケの防止、アンチエイジングにも活用できるだろう。

・先生はドラえもん!?

序章ですでに私たちがドラえもんを手にしていることには触れたが、教育にドラえもんを持ち込んでしまうのはどうだろうか。AIと音声合成技術さえあれば、生徒に合わせた対話と授業が可能になる。必要に応じて先生らしき身体を用意してあげればいい。子どもそれぞれがドラえもんを持つイメージだ。

当然のことながら生身の先生とは違い、ＡＩは疲れないし、どこまでも根気強く子どもと向き合ってくれる。ＡＩは世界中の知識を備えているので、どんな人間の先生よりも知識が豊富で、質問をすればなんだって的確に答えてくれる。

正直な話、読み書きができて自分の頭で考えられる人は、インターネット上の教材で自習ができる時代だと思う。わからないことがあってもネット上の文献を読めばそれなりに理解できる。しかし、後で触れるが、世の中には文章を読めない人が意外と多く、ネットの恩恵にあずかれていなかった可能性がある。

最近は、あらゆるコンテンツを動画でも観られるようになり、今まで文章で知識を得ることが難しかった人も多くの情報にリーチできるようになった。これで全人口の7〜8割くらいはカバーできるようになったと思う。

それでも残ってしまう残り2〜3割の人たちに集中するために、教育の仕組みを変えていくべきだろう。

・食レポはカメラで

深津さんはＡＩ時代になっても、目の前にあるラーメンを食べてレビューできるのは人間だけだと言う。だが、私は違う意見を持っている。最近のカメラはＩＳＯ感度(デジタルカメラが光をとらえる能力を表す値)や解像度が格段に向上している。このまま進化を続ければ、最終的には原子や分子を観測できるレベルに近づいていくだろう。

たとえば、高性能のカメラでラーメンを撮影すれば、含まれるアミノ酸量などの成分を分析できるようになるはずだ。これに加え、インターネット上にある画像や映像を学習すれば、それっぽいレビューを書くことくらいはＡＩにも容易だろう。

ＡＩに謝罪を代行させることに関しても、私はそれなりに機能するのではないかと考えている。現代でも、多くの人がＬＩＮＥ上で気軽に謝っている。カジュアルなものであれば謝罪ＢＯＴを作ってしまえばいい。政治家に関してはＣＧを作ってそれに謝らせればよいのではないか。

生成AIの登場で、コンテンツはどこに向かうでしょうか？

- テキストか画像になるものは、最終的にすべてChatGPTで作れるようになる
- 自分をAI化すれば、出演や声の仕事はAIに代わってもらえる

ChatGPTで、ほとんどのコンテンツを作れるようになる

堀江さんはすでにＣｈａｔＧＰＴでビジネス書を作成したそうですが、今後は小説はもちろんのこと、ゲームや映画のシナリオでもＣｈａｔＧＰＴは活躍しそうです。

ＡＩは情緒よりも理性の側面が強いですが、ネットの中から定型的な文章を学習しているため、一般的なスピーチを組み立てるのも得意です。下手をすれば普通の社会人よりもイケている文章をサクッと作成してくれます。また、プログラミングでも力を発揮します。僕も仕事で使っていますが、ほとんど半自動でコードが生成できるようになってきました。

あとはＣｈａｔＧＰＴと動画を組み合わせると便利な使い方ができます。僕はユーチューブでプログラミング関連の動画を見ることがあるのですが、動画の場合はコピペができなかったり、どこまで見ていたのかを見失いがちです。したがって、コードと映像をセットで情報を見たほうがいい。なので、資料性の高い動画の場合、まずはユーチューブの内容を全部文字起こししてメモ帳にコードとセットで貼りつけてしまったほうが学習者の利便性は上がります。ＣｈａｔＧＰＴは要約も上手なので、動画の文字起こしをしたうえでＣｈａｔＧＰＴに要約をさせて、ユーチューブのページに貼っておくなど、テキスト以外のメディアと組み合わせて活用する方法もあるでしょう。

このように、ＣｈａｔＧＰＴの応用範囲はテキストからプログラミング、マーケティングまで広範にわたります。**最終的に生成ＡＩは、文章か画像に変形できるものであればほとんど作れるようになるでしょう。**音声も波形（画像）や音符（文字）にできるので、すぐに可能になるでしょう。ゲームのような高クオリティの世界さえテキストで生成されるようになるはずです。

文章を読めない人の中で、テキストメディアはどこに行くのか

Ｘ（ツイッター）を使っていると、日本語の文章を理解できない人のあまりの多さに辟易《へきえき》する。本人は真面目に読んでいるのかもしれないが、接続詞の意味を理解できていなかったり、反語や行間を適切に読み解くことができず、クソリプを送りつけてくる。誰もがＳＮＳを使うようになり、書き言葉と話し言葉が混在するようになったため、文章を読むことそのもののハードルはさらに上がっているのだろう。

そう考えると、Ｘは絶妙なサービスになっているのかもしれない。

ツイッターの創業者であるジャック・ドーシーはそこまで意図的だったわけではないだろうが、１４０文字の制限は、文章を読めない人もギリギリ使うことができ、いい具合に誤解を招きながら拡散する仕組みになったともいえる。

その意味で、深津さんが携わるｎｏｔｅは１４０文字よりも長いテキストが主なコンテンツなので、万人にとってはハードルが高い。おそらく全人口のうち15％程度に向いたメディアであろう。ユーザー数を増やしていくには、動画や音声に広げていく必要があると思う。

ちなみに「漫画はどうか？」と思う読者がいるかもしれないが、私自身散々漫画のサービスにかかわってきてわかったことがある。漫画は独自の文法があるし、絵と文字で異なる認識野の相互連携を適切に行なう必要がある。それができる人は実は少ない。

内容が空虚だからこそラノベは流行る

普通の小説に比べてライトノベル（ラノベ）が流行っているのは内容が空虚だからだろう。

ラノベ作家と話すと、彼ら彼女らは、意識的に文章を平明に書いているらしい。私も読んだことがあるが、なんの引っかかりもなく、水をゴクゴク飲んでいるような感覚で読めてしまう。人物や情景の描写を極力排した文体で統一してあり、あたかもお粥をシャバシャバと食べている感じだ。

そんなラノベをうまく利用している会社がＫＡＤＯＫＡＷＡだ。

漫画に比べてラノベは制作のコストが低い。まず扉絵だけ描いておけば、ストーリー全体を通して絵を描く必要がない。ラノベの形式でテストマーケティングを行ない、売れそうであれば漫画化、アニメ化をしてビジネスをスケールさせる。

夏野剛さんが社長に代わって以降、このビジネスモデルを推し進めており、ＫＡＤＯＫＡＷＡの業績は上がっている。ラノベの制作はＡＩにとっても間違いなく得意分野だと思うので、またビジネスモデルは変化していくだろう。

講演や声の仕事は自分のアバターに動いてもらう

ｎｏｔｅはクリエイターを支援するプラットフォームなので、深津さんにはこんな提案をしてみたい。

私自身ｎｏｔｅを使ってコンテンツを発信しているが、毎回人力でコラムを書くのは労力がかかる。

私は最近「ＶＯＩＣＥＰＥＡＫ」というＡＩ音声合成技術のサービスを使って作った人工音声合成でＶｏｉｃｙを配信している。

読み上げさせるのは私がｎｏｔｅに書いた内容をＣｈａｔＧＰＴに食わせて、要約してもらったものだ。ＡＩに４～５時間ほど私の声のデータを学習させれば、自分がいなくても、あたかも私が話しているかのようなクオリティで読み上げてくれるのだ。

さらに、自分のアバター動画を生成してくれるＡＩサービス「Ｄ－ＩＤ」を使えば、自分が稼働することなく、アバターに、自分の代わりにユーチューブに出演してもらうことも可能だろう。

私の顔や声、動きは過去に出演した動画が大量にあるため、それを教師データとしてＡＩに学習させてしまう。既存の画像から学習して新たな画像を生成する「ＬｏＲＡ」*という手法を使うことで、かなり私の顔に近づいてきている。今後は、生身の私がインタビューを受ける必要すら減っていくだろう。

最近は「ホリエモンＡＩサブスク」などのパッケージで私のＡＩを使えるサブスクを作ろうかと考えているくらいだ。定期利用料さえ払ってもらえれば、そのＡＩを広告に使ったり、ＡＩに講演会をやらせてもらって構わない。実際、私のオンラインサロンが主宰するＡＩフェアでは、私の講演枠でＡＩにしゃべらせてみた。

音声にせよアバターにせよ、**一度データ化してしまえば、半永久的に使い回すことができる。**

＊　「Low-Rank Adaptation」の略語で、端的にいえば既存のモデルに新たな被写体を学習させる「追加学習」の手法の一種。

オーディオブックはやはり本人の声による読み上げが好まれるらしい。流石に新刊が出るたびに読み上げるのは面倒なので、自分の声の汎用データさえ用意しておけばいい。有名なラジオパーソナリティなどはすでに、自らのＡＩ化に動いていても不思議ではない。自分の稼働が難しい時には、ＡＩのＢＯＴに仕事を代行してもらえるのだ。

ChatGPTでラップを作ってみた

レジ袋有料化についてポストしたらバズったので、これを元ネタにＣｈａｔＧＰＴにラップを作らせてみた（図１－７）。音楽の中でもラップは韻を踏むルールなどが決まっているので、簡単なものであればＣｈａｔＧＰＴとの相性もいい。

小説家としてのAIの現在地（深津）

声に関していえば、声優さんの声を元にしたロボ声優が所属するデジタル事務所が

図 1-7 バズった投稿をもとにChatGPTで作ったラップ

堀江貴文(Takafumi Horie)
@takapon_jp
購入する

レジ袋有料化マジウゼェ。貧乏人が数円ケチってショップバックを持つようになったらしく更にウゼェ。なのに使い捨ておしぼりを入れてくるのがさらにウゼェ。お前ら何やりたいの？環境保護プレイ？

午前3:26 · 2023年4月5日 · 428.9万 件の表示

2,476 件のリツイート　935 件の引用　2.5万 件のいいね　186 ブックマーク

堀江貴文(Takafumi Horie)
@takapon_jp
購入する

Chat GPTに作ってもらった

(Verse 1)
レジ袋有料化、俺たちウゼェ
でも俺たち貧乏人、絶対やべェ
ショップバック手に、街中スウェイ
エコを求めて、金をケチるゲーム
(Hook)
カッコいい韻踏んで、抗議の歌声
環境保護プレイ、何がしたいの？
世界変えるため、声を上げろ
ウゼェ状況から、立ち上がれよ
(Verse 2)
おしぼり捨てる、矛盾だろ
気付かずに進む、ダブルスタンダード
お前ら何やりたいの、わからないまま
環境プレイ、ただのアピールか？
(Bridge)
ショップバック持ち歩く、環境愛
でも使い捨て、現実に目を逸らす
みんなの心、変える時が来た
結束して、この世界を救おう
(Hook)
カッコいい韻踏んで、抗議の歌声
環境保護プレイ、何がしたいの？
世界変えるため、声を上げろ
ウゼェ状況から、立ち上がれよ
(Outro)
問題を乗り越える、力を合わせて
ウゼェ状況、一緒に変えよう
未来のために、立ち上がれ
環境保護、真剣に取り組もう

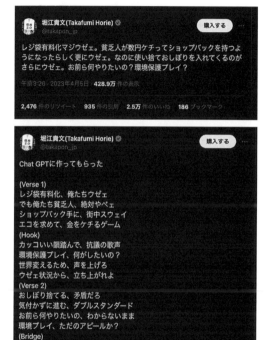

これから有望な気がします。ロボ声優はとりわけ落ち着いた語りの類は得意だと思います。

また、小説に関しても、堀江さんが言うようにＡＩがライトノベルを書くのは十分に可能だと思いますが、学習セットやりとりできるデータ量の問題で限界があります。日本語の細かい文脈であったり、キャラの設定や語尾の調整などは、２０２３年の時点では、十分にはついていけないのではないかと思います。それでも、すぐに対応できるようになるでしょうし、英語版は日本語版よりもアップデートが早いので、そろそろ実用に足りるようなものができるかもしれません。

ChatGPTで教育は変わりますか？

- 暗記することの意味がなくなる
- レポートより実地訓練
- 人間の先生は、生徒一人ひとりに合った心のケアが大事な仕事に

子どもをAIが育てたら？

私は個人個人がＣｈａｔＧＰＴを自分の外部脳として活用すべきだと考えている。わからないことはＣｈａｔＧＰＴに聞けばなんでもわかりやすく教えてくれる。今の時代、暗記をすることに一体どんな意味があるだろうか。

教育が大きく変わるポテンシャルがあるのに、教育委員会が変化するとは思えない。おそらく10年スパンで考えても、今の教育システムがＡＩの進化を取り入れて変わることはないのではないか。

今までにあり得ない知性を持つ子どもを育てる

最近、私は子どもを育てたいと思っている。

生まれた時から、教育の一切をＡＩに任せれば、今まではあり得ない知性を持った子どもが育つはずだ。イメージとしては、子どもの耳に常時ＡＩイヤフォンをつけて、たとえば英語なら英語で１日中会話をしたり、授業を受けることができるような環境だ。**それこそ、棋士の藤井聡太さん並みの知性を発揮できるのではないか。**

もはや学校の先生よりもＡＩのほうが、頭がいいのは明白だろう。生まれた時からこうした環境下で育った子どもは、完全にニュータイプとして大人になっていく。

子どもをみてくれるＡＩも、親からの需要が高いはずだ。私の周りの親に話を聞くと、「小学校に通わせたくなくても、仕事をしている自分に代わって、誰かが昼間に相手をしなくてはいけない」と言う。つまり、託児所のように面倒をみてくれる場所が必要ということだ。

この解決にＡＩを使ってはどうか。

そもそも、危険な物さえ置いていなければ、子どもたちが遊んでいる場所に必ずしも人がいる必要はないのではないだろうか。ＡＩカメラが常時監視し、何か異常なことが起こった時、たとえば子ども同士でケンカがあったり、事故があったりした時に、警報が鳴るようにしておけばいい。必要最低限の人員でプレイグラウンドが運営できるようになれば、気軽に子どもを預けられる場所が増え、劇的に子育てが楽になるはずだ。

今ここで語った教育の未来はやや急進的であったかもしれない。

確実に実現しそうなのは、大人が学ぶスクールだ。かつてのパソコン教室と同じでＡＩを操るためのプロンプト・エンジニアリングスクールが流行するだろう。たとえば、イラストを自動生成するミッドジャーニーを使ってみたいけれど、まだうまく使いこなせない人は多いはずだ。そうした人たちが学べる場所のニーズは間違いなく高いのではないだろうか。

Takayuki Fukatsu

学位はユーチューブでとればいい

僕は何年か美大の先生をやっていたので、ChatGPTによって教育にも変化が訪れる予感を持っています。具体的には、大学で先生の教える内容が座学から実技へ移行していく。たとえば、MBAを取得する時に、分厚いリサーチレポートを提出する必要がありますが、これはChatGPTを使ったほうが確実に早いわけです。なので、**単なるレポートの提出から、より実地訓練に寄っていく**のではないかと予想しています。たとえば、「駅前にある、あの売上が不調なカフェに行って、再建してきなさい。その再建結果をレポートとして持ってきてください」という形に変わるのではないかと思います。

大学以前の小学校から高校までの教育に関していえば、堀江さんも言うように大部分がインターネット上に存在する教材で自習するのが手っとり早いと思います。
たとえば、世界最高の数学の授業動画がユーチューブに10本あるなら、数学の授業の大半はその動画を再生するほうが効率的でしょう。究極的にはユーチューブで完結して学位がとれてもいいのではないかと思います。あるいは高校生をやりながらグーグルで働いたり。学びの形はもっと多様になると考えています。

全体としては、**人間の先生は、特殊な状況に対応したり生徒一人ひとりの心のケアなどに集中し**、万人が学ぶべき方程式などに関しては、AIや動画を活用しながらそれぞれの生徒に最適化された教材を使って学んでいく方向に進むのではないでしょうか。

さて、AIに育てられた未来の子どもたちは、AIで生成された画像に対してシンパシーを抱くのか、それともモノや機械と感じるようになるのか。どちらに転ぶのか現時点ではわからないですが、どちらか極端になっていくのではないかと感じています。

ChatGPT以後、必要なスキルにどんなものがあるでしょうか？

- ChatGPTで何ができるのかを知ることで、その人ができることが広がる
- AIの最低限の仕組みを知っておこう

将来的にはＡＩの仕組みも知っておこう

新しくこれから何かをしようとするなら、生成ＡＩに慣れるのはお勧めです。

今後、エクセル操作のような表面上必要なスキルは変わってくると思います。ＣｈａｔＧＰＴにどんなお願いができるのか、どう命令を出すのか、どんな生成ＡＩのツールを使うのかがわかってくると、その人ができることは広がるでしょう。

あわせて、認知能力、推論能力、決定力、リサーチ能力など、本質的に仕事に必要なことは、今後も身につけるべき素養として重要です。

デジタルネイティブのさらに後の「ＡＩネイティブ世代」は、息を吸うようにＡＩを使いこなすようになるのだと思います。

将来的には、ＣｈａｔＧＰＴをはじめとしたＬＬＭ（大規模言語モデル）*や生成ＡＩの最低限の仕組みも知っておいたほうがよいでしょう。ブラックボックスのままにせず、なぜこうなっているのか、ChatGPTやAIは裏で何をしているのか、根っこのところを理解できるとよいでしょう。これは、レシピを暗記している人と、食材の知識を持っている人のような差を生み出します。レシピの暗記だけでなく、食材や調理法をしっかり理解していれば、よりよい料理が作れるわけです。

ChatGPTがあれば、英語は学ぶ必要がない？

ChatGPTを使うにあたっては、日本語で指示するより英語で指示するほうが性能が高く、有料で使う場合のコストが低くなるので、使えないよりは使えたほうが有利かもしれません。

しかし、0・5秒以内に答えを出さなくてはいけない会話が必要なら、英語は勉強しておくべきでしょう。また、リアルでパーティに出ることがプラスになるようであれば、生のコミュニケーションができるほうが優位性はあると思います。

＊　LLM（Large Language Model：ラージ・ランゲージ・モデル）。大量のテキストデータによって学習することで、私たちが普段使う「自然言語」によって処理することができるようになったもの。

人とAIの違いはどこにあると思いますか？

- AIに感情は理解できるか？
- 人間は知的な活動をしていそうで、意外とそうでもない
- 人とAIの違いは「記憶の容量」

ＡＩも感情をアウトプットできる

ＡＩの議論で必ず出てくるのが、「ＡＩには人間のような感情がない」という意見だ。深津さんも「ＡＩの理性に対して、まだ情緒は弱いのではないか」と言うが、私としては情緒面でも、ＡＩは人間と見分けがつかなくなりつつあると思う。

以前、ある会社の社長と、ＣｈａｔＧＰＴは感情を理解できるのか試してみたことがある。

たとえば、「Ｈ３ロケットの打ち上げに失敗しました」といったニュースをＣｈａｔＧＰＴに入力したうえで、「この文章を読んでどんな気持ち？」と聞いてみる。そうすると、「悲しみ７・怒り３」といった具合に感情をアウトプットしてきたのだ。外側から感情を解釈できているように見えるのであれば、どうして「ＡＩに感情はない」と言い切れるだろうか？　ＣｈａｔＧＰＴとのやりとりを「人間同士のやりとり」

として提示しても、誰も気づかないのではないだろうか。

感情があるとされる人間だって、中身はAIと同じくブラックボックスに他ならない。

自分は意識的に動いていると思っていても、ホルモンバランスが崩れれば、感情的になったり性格が変わったように見えることもある。あれは脳からパラメーターを変化させる指令が出ているようなものだ。

実際人間がどこまで意識的に動いているかというと、微量のパラメーターをいじられながら、無意識の自動運転をしているようなことが多いのではないだろうか。

私は若い頃、よくヒッチハイクをやっていたのだが、その時に知ったのは、長距離運転のトラックドライバーがほとんど寝ながら車を運転していたことだ。危ないと思って「起きてくださいよ」と言っても、彼らは意外と普通に運転できている。運転手に限らず、多くの人は様々な場面で無意識の自動運転を行なっているはずだ。

他にも、女性同士が集まり、オチのない会話を次々に展開する光景を見たことがあるだろう。あれだってほとんど無意識に話しているはずだ。そばで見ていると、「オチがない会話が楽しいんですか?」と思ってしまうのだが、本人たちはお互いにツボを押し合っているような感覚でどうやら心地よいらしい。

つまり、**人間は高度で知的な活動をしているようでいて、意外と何も考えていなかったり、思考のいらない言葉のキャッチボールをしている時間のほうが多いのかもしれない。**

だとすれば、ChatGPTと何が違うだろうか。

人間とＡＩの違いは「記憶の容量」

堀江さんは「ＡＩはすでに感情を持っているのではないか」と言っています。僕も、ＣｈａｔＧＰＴを使って感情を分析するマシーンを作ったことがありますが、感情っぽいものの推測まではしてくれるように思います。外から見て感情を解釈できていれば、内側が何であっても、観測上は人間と一緒という考え方もできます。

現状、人間とＡＩの大きな違いは、いわば「短期記憶の容量と更新性」でしょう。その点が今のＣｈａｔＧＰＴの最大の弱点です。ＧＰＴ－３・５までは、人間でいう記憶容量に制限がありました。データを分割する最小単位のことを「トークン」（ＣｈａｔＧＰＴでは言葉を記憶する最小単位）といいますが、そのトークンを十分に記憶しておくことができないため、受けとれる単語や句の数に限りがありました。

しかし、バージョンがアップデートされるごとに、記憶できるトークン数も増えているので、将来的に本1冊分程度の記憶まで拡張されれば、いよいよほとんど人間と区別がつかなくなるかもしれません。

今後、AIを支えるデータストレージと処理速度が改善されれば、AIは記憶容量を順調に伸ばしていき、振る舞いもどんどん人間に近づいていきます。もはや知性の面で人間と区別することはほとんどできなくなるでしょう。

50ページでChatGPTは、「続きを書く」マシーンと説明しましたが、僕ら人間だって会話をしているときは、ChatGPTの仕組みとほとんど同じように、前の単語を聞いて反射的に会話を組み立てていたりします(「むかしむかし」と言われたら反射的に「あるところに」が出てくるように)。頭をフル回転させながら回答を捻り出すほうが稀で、ほとんどは反射で成り立っているのではないでしょうか。

おそらく2~3年以内には、Slack(スラック)やメールのレスポンスにAIが入り込んでも、それに気づかない、という状況が生まれてくるかもしれません。

アバターの向こう側にいる相手が人かAIかわからなくなる

いつの時代も新しいテクノロジーを使いこなすのは、凝り固まった価値観を持たない子どもたちです。外見では大人のフリをするVチューバーの中で、実は子どもが操縦していた、といった事例が今後出てきても不思議ではありません。

すでにVチューバーの世界では、アバターの向こう側にいる人がどんな人かを問うてはいけないというマナーが確立しつつあるかと思います。そうなると、中身の人間は国外の人かもしれないし、老人や子どもかもしれない。さらにいえば、すでにAIが自律的に動いている可能性すらあります。**アバターの中身がわからなくなれば、年齢や性別、その他あらゆる属性に関係のないコミュニケーションが当たり前になる社会に変わっていくかもしれません。**

今後、人格を持ったAIは私たちの生活の中でどんな存在になっていくでしょうか。僕としては身近に溶け込み、仲良しな存在として自然に受け入れるか、やはり受け入れることはできずにモノ扱いするか、その両極に分かれると見立てています。

AIは人間にとっての相棒になる

昔、車がしゃべりかけてくる『ナイトライダー』というアメリカの特撮テレビドラマがありました。主人公は人工知能が搭載されたスーパーカーに乗り、難事件を解決していくというドラマです。いわば、スーパーカーに搭載されたAIが相棒というわけです。

将来、AIがパーソナルアシスタント化して僕たちの生活に馴染《なじ》んでいくとすれば、そのドラマで描かれていた世界観に近くなる気がしています。このドラマに出てくる自動運転車ナイト2000に搭載されている人工知能K.I.T.T.は、あたかも感情を持った人間のようなコミュニケーションをとります。『ナイトライダー』が最初に公開されたのは1980年代ですが、現代の私たちの感覚からするとGoogle Homeをずっと肩に載せている感覚に近いかもしれません。

ちなみに、AR（拡張現実）は一般的に現実の風景の中に3D映像やキャラクターなどのデジタルコンテンツを表示するユースケースが想定されがちですが、僕の見方は耳一択です。スマホ、会話AI、ChatGPTが組み合わされば、**目に映像を投射するより、耳元で情報をささやかれたほうが、本来ARが目指していたゴールに到達できると思うのです。**

骨伝導マイクを介して即座に知りたいことや、聞きたいことを教えてもらえる。たとえば、動画の収録や撮影の時に台本の内容を耳元で教えてくれたり、「もっとこっちに目線をちょうだい」と指示する時にも使うことができます。収録以外でも「あの人誰だっけ?」と思った時に、すぐに名前を教えてくれて、しかも「こんな話題を振ると喜びますよ」と提案してくれる。普段のコミュニケーションでも役立ちます。

こうしたAR2・0的な使い方は、技術的には今すぐにでもできるはずです。

あえて障壁を挙げるなら、グーグルとアップルにスマートイヤホンを握られてしまっていることくらいです。VR(仮想現実)はゴーグルでいいと思うのですが、ARの解は耳だったのではないかというのが僕の見解です。

堀江貴文

緒方憲太郎

第2章

ChatGPT後の社会と、生き方について教えてください

——Voicy 緒方憲太郎さんと考える

KENTARO OGATA

大阪大学基礎工学部卒業後、大阪大学経済学部を卒業。公認会計士の経験を積んだ後、世界一周の旅に出る。その後、アメリカの会計事務所 Ernst&Young に就職。帰国後は、ベンチャー企業の経営者支援を経て、2015年に医療ゲノム検査事業のテーラーメッド株式会社を創業、3年後事業売却。2016年に株式会社 Voicy を創業。近著は『ボイステック革命』（日本経済新聞出版）、『新時代の話す力』（ダイヤモンド社）。

AI化とバーチャル化で、私たちの居場所は変わるか？

第1章では、深津さんと、私たちの仕事の将来について整理をした。様々な仕事がAIに代替されるか、もしくは共同で仕事をしていく未来が垣間見えたのではないだろうか。

AIが変えていくのは、仕事だけではない。深津さんも「アバターの中にいるのが人なのか、AIなのかわからなくなる」という話をしていたが、人間同士のコミュニケーションも含め、社会全体や私たちの感覚も変わっていくだろう。

第2章で登場するのは、音声のプラットフォームを提供するVoicyの緒方憲太郎さんだ。

緒方さんはビジネスデザイナーとして、世の中の変化の中で、人の行動や意識がどう変わっていくのかを想定しながらビジネスを作っている。Ｖｏｉｃｙの起業も、最後に人間性として残るのは「声」ではないか、という考えがあったそうだ。

緒方さんは、今後の私たちの居場所として、リアルとバーチャルという軸を使いながら、４つに分けて提示してくれた。格差が進むであろう将来の展望については、意見が異なるところもあるかもしれないが、皆さんが今後の社会や生き方について考える時のヒントになるだろう。

ChatGPT後の生き方はどのようなものになるでしょうか？

- バーチャルとリアルの中で居場所を見つける
- バーチャルの中に「居心地を追求する」世界が生まれる

これからの世の中で、自分の居場所を見つける「2軸のマトリックス」

私は技術者ではなくビジネスデザイナーなので、テクノロジーそのものよりも、テクノロジーによって社会の流れがどのように変化し、人自体がどう変わるのかに関心があります。

たとえば、ある社会の変化があった時に、その中で何が根本的な要素であり、それをどう分解して考えるのか、そしてその延長線上に何が起きるのか、そうしたことを考えるのが私の立ち位置だと思っています。

少し概念的な話になりましたが、簡単にいえば、「世の中にカレールーがない時代から、カレールーがある時代に変わった時に、何が変わるのか」といったことを考えています。

たとえば、カレールーが登場したことで、「それほど料理上手な人ではなくても、誰かに料理を振る舞えるようになった」とか、「調理する人の手間が減って、家族で食べる時間が増えるんじゃないか」とか、そんな状況が見えてくる。

このことはChatGPTやAIについても同じことがいえます。今までのChatGPTやAIがない世界と、ChatGPTやAIが出てきた以降の世界の差を考えることで、「ChatGPTやAIで何が変わるのか」が明確になる、というスタンスでお話ししていきたいと思います。

AIの進化はITでできることの延長線上に位置づけられるでしょう。今まで以上にたくさんのデータを処理しながら、**あらゆるものを自動的に解析して処理していく世の中**になると考えています。もちろん、AIが「ある世界」のほうが「ない世界」よりも、できることは爆発的に広がっていくでしょう。とりわけ生成AIは、画像や文章などのクリエイティブな分野にまで活用範囲が広がり、私たちの社会を一変しようとしています。

図 2-1　バーチャルの世界で広がる4つの生き方

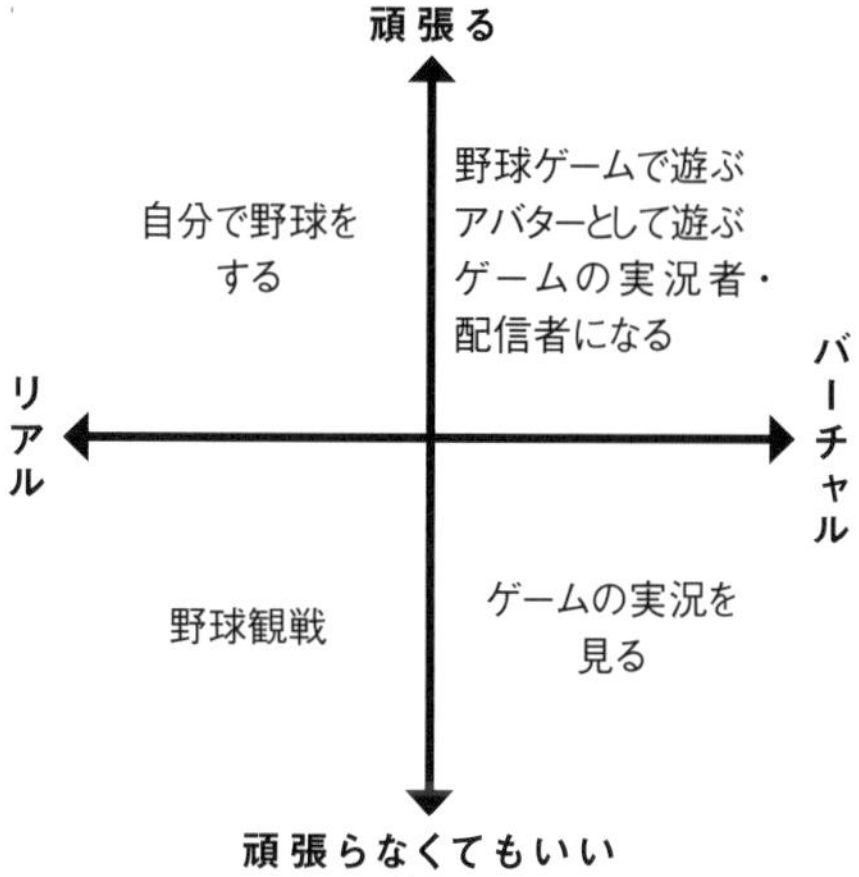

では、AIの進化によってどんな生き方が可能になったのか。それを、四つに分類したものをお見せしたいと思います。そのうえで、読者の皆さんは「私はどのポジションであれば生きやすいだろうか」と各々が自分に問いかけながら読み進めていただけると、社会の中で生きやすい居場所を見つけるヒントになるかもしれません。

図2－1は、Y軸に「頑張る／頑張らなくてもいい」、X軸に「リアル／バーチャル」と分けています。

言うまでもなく、私たちの活動範囲は、

いまや「リアル」にとどまらなくなってきました。

ネット上の自分としてアバターを使ったり、ゲームの世界では「あつ森（『あつまれ どうぶつの森』）」から、今、世界的に流行しているフォートナイトまで、バーチャルな世界で時間を過ごすことも増えてきました。人によってはリアル世界で生きる自分を主人公とせず、バーチャルの世界へと人生の舞台を移している人もいるはずです。

リアルとバーチャルの世界はゆるやかにつながっている

なお、ここまでの説明では、リアルの世界とバーチャルの世界がパキッと分かれているように思われるかもしれませんが、実は二つの世界はグラデーションでゆるやかにつながっています。

たとえば、自分は野球をしないけれど、スタジアムでプロ野球を観戦するのは好きという人はいるでしょう。テレビで選手の引退試合を見て一緒に涙を流す、これもある意味ではバーチャルな世界の体験です。スイッチやプレイステーションでの野球ゲームはバーチャルでの体験ですが、今は自分でゲームをプレーすることさえやめて、ユーチューブのゲーム実況動画で満足な人だっています。

一番リアルに近いのは言うまでもなく、自分自身で野球をプレーすることですが、それ以外の方法でも楽しめる仕組みがいくつも用意されるようになってきています。最近は、そこからさらに進んで、バーチャル上に自分のキャラクターを持つこともできるようになりました。生成AIの進化で、今後はより精巧に作られたアバターや、自分にぴったりのコンテンツも提供されるようになるでしょう。

リアルの世界で頑張るのをやめて、バーチャルの世界で幸せに生きる人が出てくる

自分の人生だけではなく、いわゆる推し（応援の対象）もリアルとバーチャルの曖昧な境界の中で多様化しています。

たとえば、ネットが普及する前のアイドルはブラウン管の向こう側で活躍していました。テレビ以外で動く姿を見ることができたのは、コンサート会場くらいのものでしょう。

今では、アイドルやライバーはいわゆるインフルエンサーとして、ユーチューブやTikTokあるいは各種ライブ配信アプリで日常的に活動を行なうようになっています。

さらに最近は、生身の人間ではなく、3DCGで描画されたキャラクターがVチューバーとして当たり前に活動するようになっています。もはや推す相手がリアルだろうがVRだろうが、あまり区別はありません。

生成AIにより、より精巧なキャラクターが作れるようになれば、**人間との区別さえできなくなり、バーチャルの世界がより活況を呈していくと予想されます。**推しだけでなく自分の存在もアバターとしてバーチャルの中に作れます。リアル世界の自分はブサイクで生きづらいけれど、バーチャル世界の自分はイケメンとして生きていける、と考える人も出てくるかもしれません。つまり、リアルで生きているよりも、バーチャルのほうが居心地がよくなるという世界に、一歩踏み出したのだという感覚を持っています。

今後の大きな変化としては、バーチャルの世界での相手が人間からAIへ変わっていくことでしょう。

　これまでのバーチャルの世界では、後ろに人間がいるアバター同士がコミュニケーションをしたり、格闘技のゲームで対戦したりしていました。しかし、時に「あのプレイヤーむかつく！　機械のほうがいい」などと、キャラクターの裏側にいる人間に憤りを感じることもありますし、「人間のアイドルは結婚しちゃうからＡＩのほうがいい」と考える人も出てくるでしょう。すると、今後は人間の相手をするのがＡＩになっていく可能性が高い。その意味でも、堀江さんが言う「マトリックスの世界」がいよいよやってくるのかもしれません。

さて、自分はどう生きていくのか？

　次ページの図２－２は、先ほどの図２－１を、私たちの生き方全般に広げて説明したものです。

　インターネットがあまねく普及する前まで、私たちの生き方は図の左半分しかありませんでした。

図 2-2　4つの生き方

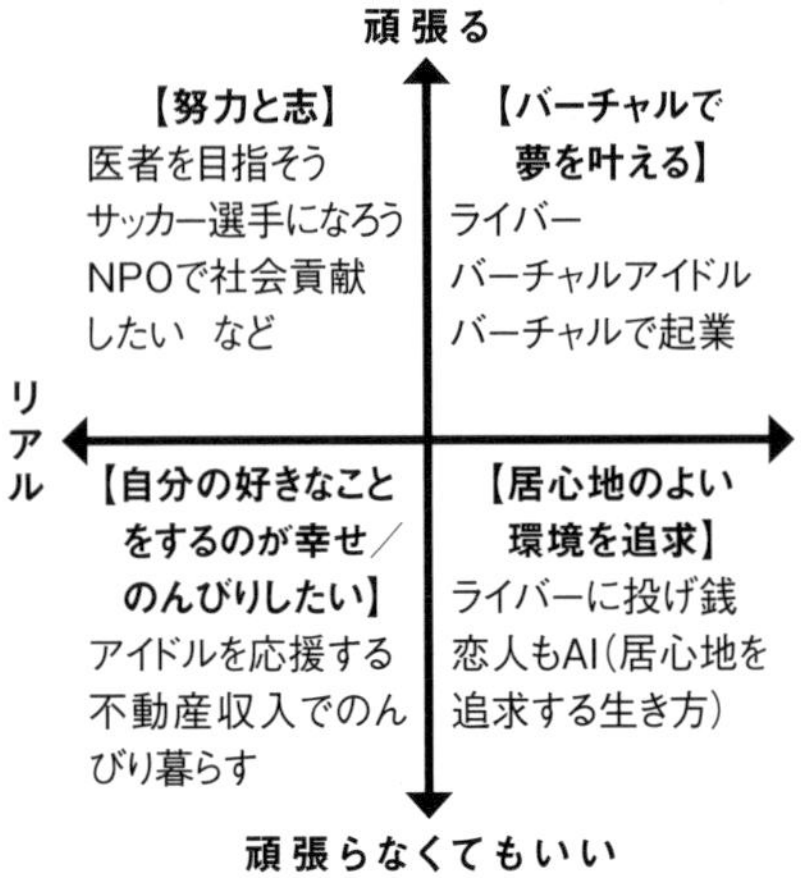

それがどんな世界だったのかを思い出してみると、たとえば、80年代には高身長・高収入・高学歴を持ち合わせた男性は「三高」と呼ばれ、もてはやされていました。身長は頑張っても高くならないかもしれませんが、努力して高収入・高学歴を得ることが評価されました。また、90年代頃から「勝ち組」「負け組」という言葉も使われるようになり、2006年にはユーキャン流行語大賞にノミネートされています。

この時代について一言で言えば、**「頑張って成長することが求められる世界」**といえるでしょう。

図2－2左上は、医者を目指して懸命

に勉強したり、サッカー選手になりたいと努力をしたり、高い志を持ってNPOで社会貢献したいと頑張っている人たちがいます。ある意味、努力が求められる生き方でもあります。

しかし、その一方、好きなマンガを読んだり、アイドルを追いかけて過ごしたいと思う人だっている。それが左下の世界です。言うまでもなく、生き方や幸福は人それぞれです。それなのに努力をしなければならないような風潮があった。従来のリアルの世界は、一部の人にとって居場所を見つけるのが難しかった世界だともいえるでしょう。

それがテクノロジーの進化によって、図の右半分のバーチャルの世界が出現し、進化と拡大を続けています。**それは「居心地のよさ」の進化ともいえるかもしれません。**リアルの世界にしんどさを感じていた人たちにとって、居場所を見つけやすい世界が到来したともいえるかもしれません。

もちろん、図の左上のように、引き続きリアルの世界で頑張っていく人もいるでしょうし、右上のようにリアルではなくむしろバーチャルでパフォーマンスを出す人も出てくるでしょう。一方で右下の世界では、その人に合った幸せが提供されるようになりました。頑張らないと幸せにはなれない社会から、頑張らなくてもそれなりに幸せになれる社会ができたのです。

リアル世界しかなかった時代であれば、親から「努力しないと、将来食べていけない。ろくな人間にならないぞ」と叱られていた人も、「いいよ。バーチャルな世界で快適に暮らしていけるから」と言える世界が本当に訪れようとしているのです。

本物のカニと、手軽なカニカマとどちらがいいか？

あらゆる物事がリアルとバーチャルに分かれていることを実感してもらうため、より身近な例を挙げてみましょう。

突然ですが、本物のカニと、スーパーで売っているカニカマを思い浮かべてみてください。

ある時、私はスーパーで売られているカニカマは本物のカニより、むしろ食べやすく加工されている商品だと気づきました。

味だけを比べればたしかに少々劣るかもしれませんが、賞味期限が長持ちするのに加え、パッケージで小分けにされているので扱いやすい。本物のカニではなく、むしろ、便利なカニカマを選ぶ人もいます。

カニカマはある意味で、バーチャルがリアルを超えた事例の一つです。カニカマはあくまでも比喩ですが、同じような現象は食以外のあらゆるところで見受けられます。

運動が苦手だからバーチャルでできるゲームをするという流れについては先ほど触れた通りですが、恋愛も同じ要領で変化していくかもしれません。それほど好きでもない子と無理して付き合うくらいなら、自分のタイプのバーチャルな子と時間を過ごすほうが幸せという考えだってあり得ます。

「カニカマは本物のカニじゃない」と同じ理論で、「バーチャルな女の子は本物の女の子じゃない」と言い張る人は必ず出てくるでしょう。しかし、ＡＩのグラビアが受け入れられている時代です。もし、将来ＡＩで精巧な美少女が作れるようになったら、「人間よりもＡＩ美少女がいい」と言う人が出てくる可能性があります。

〝身もふたもない社会〟の幸福観

緒方さんが言う「カニカマ社会」を私の言葉で言い換えるなら、「身もふたもない社会」だ。「身もふたもない」と言うとポジティブなイメージを抱かないかもしれないが、**フラットに考えてみれば、誰もが最低限の幸せを享受できる世界になっていることに気づくだろう。**

【食】

まずは「食」について考えてみよう。実は、人間が美味しいと感じる食の方程式はすでに確立している。すなわち、その構成要素は糖質・脂質・アミノ酸であり、それぞれの代表例は砂糖・バター・味の素である。料理の中にこれらを加えれば、大抵、なんだって旨くなる。

考えてみてほしい。味の素が開発される前は、旨いものにありつくのは大変で、みんな不味い料理で満足しなければいけなかった。今では手軽に誰もが当たり前に美味しい料理を食べられる。緒方さんが言う「カニカマ」は一例に過ぎず、トリュフ塩にしろマツタケのお吸い物にせよ、コピー食品によって多くの人の食は豊かになっているのだ。

【衣】

「衣」も同じことが起こっている。ユニクロやZARAに代表されるファストファッションが広まり、ファッションビジネスが根底から変わった。ファストファッションとはいえ、デザインも機能も高度なものが多く、ほとんどの人にとってはファストファッションで十分である。つまり、着るものにお金がかかることがなくなった。

【住】

コロナ禍以降、リモートワークが普及したため、都心に住み続ける理由が減っている。地方に目を向ければ、家賃の安い場所はいくらでも見つかる。

衣食住、それぞれの側面から現代社会を考えてみると、案外どんな人でもそれなりに幸せな生活を送れることがわかっていただけたのではないだろうか。

よかれと思って人の生活に口を出してきたり、アドバイスをしてくる人は「身もふたもなさ」を不幸だととらえている。身の程の幸せであれば、お金の多寡はそれほど関係ない。誰もがネオ（主人公）になることはできずとも、「マトリックス」の世界は誰にとっても、それなりの平等と幸せが約束された場所なのである（ネオのように強い信念を持って、ぬるま湯のような世界から自ら抜け出し、おかゆみたいなものしか食べられない世界に行くのが本当に幸せなのか、疑問を感じるところもある）。

「幸せ」は安くなっている。お金の心配をするよりも、思い切って自分のために行動していったほうがよいと思う。

“推し”に給料を捧げ、安楽死を望む若者たち

サービス作りで大学生にヒアリングする機会があるのですが、最近の若い人々は意外と新しい情報を収集していないことに驚きます。ビジネス関係の知識はＴｉｋＴｏｋでどこかの社長がしゃべっているショート動画を見て学んでいるそうです。

暗い話にはなるのですが、ヒアリングの中で「一番ほしいものは何ですか？」と聞くと、少なくない人たちが「安楽死」と答えました。なかには、将来が不安で、40歳以降は生きていたくないと言う人さえいます。

何のためにバイトをしてお金を稼いでいるかといえば、推しを応援するためだそうです。実際、稼いだ金額の半分を「推し活」に費やしている人もいました。

あるユーザーインタビューでは、「推しのライバーの女の子に1万円投げ銭するのが、自分の人生にとって一番コスパがいい。なぜなら、誰も自分とデートしてくれないし、1万円を使っても楽しいことがない。それなら推しに『ありがとう』と言われるのが何よりも嬉しい」と話しているのを聞きました。ある意味、自分の人生は諦めていて、**推しの人たちが「自分の人生の代行業」をしているような存在になっています。**

でも、それはそれでいいのかもしれません。

私が小さかった頃も、お好み焼き屋のおじさんが「阪神タイガースは自分の人生みたいなもの」と言っていたのを思い出します。もしかしたらいつの時代も、自分の人生の楽しみを外注している人はいるのかもしれません。

自分を伸ばしたり、挑戦したりしようとするのではなく、それを外注してしまう。若者たちが「安楽死」と言う時、その時代傾向が顕著に表れていると実感しました。

どんな仕事が残りますか？新しい仕事は生まれるでしょうか？

- 「食いっぱぐれない」と思われていた仕事ほど危ない
- AIにとって面倒なのは、「人間」
- 「人間性」が価値になる

AIに代替できないのは「人間をマネジメントする力」

ＡＩの進化も見据えて、生き方の変化について解説してきました。「バーチャルの世界で生きていけるのはわかった。ただ、どこまでいってもリアルの世界は残り続けるわけで、そこで働いて生きていかなくてはいけないではないか」と考える方もいると思います。その点についても、私の考えを述べてみたいと思います。

今まで「食いっぱぐれない」と思っていた仕事ほどなくなる

実際、生きていくための最低限の収入は必要です。衣食住は安くなったとはいえ、無料ではありません。

生成ＡＩの進化はホワイトカラーにも大きな影響を与えようとしています。「将来、自分の仕事はどうなりますか？」という問いに対しては、残酷ではありますが、「多くの人が食いっぱぐれます」ということになるのではないかと危惧しています。

人が行なわなければいけない仕事というのは明確に減ってしまう。しかも、**「今まで『食いっぱぐれない』と思っていた仕事ほどなくなる」**と思っておくといいのではないかと思います。

新人エンジニアの育つ環境が危ぶまれる

堀江さんが「ＣｈａｔＧＰＴができて、久々にプログラミングをしたくなった」と言っていましたが、エンジニア業界にとっても大きな影響をもたらすと考えています。

これまでは、エンジニアが書いたコードをそのマネージャーがレビュー*する作業がありました。

ところが、ＣｈａｔＧＰＴに「こういうプログラムを、この言語で書いてください」と指示すれば、そのコードを返してくれるようになった。

ＣｈａｔＧＰＴがコードを書けてしまうのであれば、マネージャー自身がＣｈａｔ

GPTに指示を出して、その内容を確認したり、修正の指示をすればいいだけです。**エンジニアは不要となり、マネージャーが一人いれば事足りるようになってしまう。**今後、新人エンジニアが育つ環境が一気に減るのを危惧します。人に頼むよりAIに頼んだほうが簡単だと感じるマネージャーもいるでしょうし、そもそも新入社員よりもAIのほうが仕事が早いという状況も出てくるかもしれません。

生成AIと権利ビジネス

オーディオコンテンツやイラストの権利を売買している会社も、生成AIの影響は避けられません。なぜなら、生成AIを使えば、権利上ギリギリ問題のない範囲で、クリエイティブを制作することができてしまうからです。

この時、「我々の権利はどうなるんだ」と叫ぶより、さっさと次の世界へ行ったほ

＊　そのプログラムにバグなどがないか、プログラムを組んだ人以外がそのコードを検査すること。

うがいいと思います。

そもそも、世の中には著作権が曖昧なものがあふれています。たとえば、方言を商標登録するような動きもありましたが、そもそも方言について、誰が言いはじめて誰が権利を持っているかなんてわかりません。同様に、ＡＩによって制作された限りなく生身の人間に近い顔の画像も、その成分をたどることは不可能です。イタチごっこは延々と続くので、**その決着を待っているくらいなら、自分なりに使いこなしてしまったほうが得策でしょう。**

ＡＩにとって面倒くさいのは「人間」

では、人間にしかできない仕事として何が挙げられるでしょうか。

ＡＩにとって一番面倒くさい仕事は、人間です。

人の気持ちをよくする、人の心を動かす、孤独を癒す、人と人の間に入る、人が喜ぶイベントを企画する、関係者が納得するような資料を作るといった、人の面倒くささの中に成り立っている仕事はいくらでもあります。

具体的には、人の心を動かすコーチングやリーダーシップが求められる仕事、高額なサービス業、インフルエンサーなどは今後も必要だと思います。これらに共通するのは**「人間性」が強みになる**ことです。

実際、今でも人の気持ちを汲んでマネジメントできる人材は、どの会社にも足りていません。飲食店でも人手不足が叫ばれていますが、とりわけお客様を喜ばせるような接客ができる人材は深刻に枯渇しているようです。このままだと、将来は高級店でのみ人間が接客をし、安いお店は完全にタッチパネル・機械が接客を担う、というように飲食業界のあり方が二分されていくはずです。

インフルエンサーは人の心を動かすという意味でなくならないと思いますが、インフルエンサーの中でも、情報をまとめて提供しているだけの人は厳しくなるでしょう。コンテンツにオリジナル性が乏しいため、機械で自動的に作ることもできます。今後は、自分の生き方や人間味を提供していく人のほうが強くなるのではないでしょうか。

ちなみにメタバースの中に人間が唯一持ってきているのは「声」なんです。自分の理想のアバターを着ていても、声だけは自分のままで他の人と話しながら、ゲームをしていたりします。私は、声は最後に「人間味」として残るのではないかと思っています。

また、職業というわけではないかもしれませんが、人の心に寄り添うという点で、**宗教の影響力**が大きくなるのかもしれません。

そのほか、もちろん、身体性を伴い、機械には代替しづらい消防士や看護師などの**エッセンシャルワーカーは残る**でしょう。

コストの面で考えるのであれば、そもそも**機械でやるより人間のほうがコストが安い作業も残ります。**皿洗いやゴミの清掃などは、その仕事のために機械を作るまでもないと考えられるため、なくなりづらいのではないかと考えています。

逆に、作業ｔｏ作業の中に人が入っているものはほとんど要らなくなるのではないかと思っています。たとえば、経理事務、資料整理といった仕事、データ解析なども厳しくなってくるかもしれません。

ほとんどの創作はＡＩでできる

クリエイティブ業界で生成ＡＩが台頭しつつあるのは緒方さんが強調する通りだ。以前からネットフリックス作品の制作には、ビッグデータが活用されていることが知られていたが、場合によっては人間より的確な判断をすることもあるだろう。このビッグデータとＡＩを活用すれば、人間のプロデューサーや監督と同じか、それ以上の作品を作るかもしれない。

他にも最近、私のオンラインサロンでは画像生成ＡＩのミッドジャーニーが流行っている。実際、私が発案したパン屋「小麦の奴隷」で、ミッドジャーニーを使って架空のアパレルブランドを作ってみた。デザインも、写っているモデルも、すべてＡＩが生成したものだ。

図 2-3　Midjourneyで作った架空のアパレルブランド「Crust couture（クラストクチュール）」

出典：小麦の奴隷

ぜひインスタグラムで「dorei_official」と検索してみてほしいが、見れば、そのクオリティの高さに驚くはずだ。プロンプトの出し方さえ工夫すればこのレベルの画像がＡＩによって生成できてしまう。もう本当に人間のモデルもクリエイターも不要になるだろう。

すでに世の中ではＶチューバーという存在が広まり、認められつつある。一応のお約束として、Ｖチューバーの中の人のことは聞かない暗黙のルールがある。今後、ある日突然、広告モデルがＡＩに変わっても気づかない瞬間が訪れるかもしれない。

「ひとり○○」のビジネスが増える

「逆にＡＩによって新しい職業が生まれるのでは？」と考える人がいるかもしれません。私はむしろ、今まで存在していた職業の仕事を「ＡＩで」やるようになると考えています。

したがって、今まで人がやっていたようなことを、ＡＩが簡単にやってくれるサービス自体を立ち上げるのはありだと思います。

たとえば、高齢者の相手をするＡＩのサービスなどが考えられます。孤独を癒すサービスは、今後もニーズはあるでしょう。**「今あるサービスをAIで行なったらどうなるか」**という思考でサービスを作っていくことはできるのではないかと思います。

ただし、労働人口は減るでしょう。

私は起業家ですが、今、新たに会社を立ち上げるなら、ほとんど人を採用することなく、少数精鋭＋ＡＩで事業が作れると思います。ＡＩはデータ分析もマーケティングも得意なので、これまで専門的なスキルとして重宝されていた人材も不必要になるからです。

逆にいえば**「ひとり○○」のビジネスやサービスは増える可能性があります。**

たとえば、ひとり出版社なら、この10年間の売れた本を全部データでインプットして、誰のどういうコンテンツなら売れそうかをリストアップする。そしてそのサンプルの文章を作り、その著者に送る。「ちょっとだけ修正してください」と依頼すれば、2〜3日で本を作れてしまうかもしれません。

マーケティングにおいても、ＡＩはどんなタイトルや文章ならクリックしてもらえるか、という案を出してくれます。

ただし、最後に意思決定するのは人間です。その部分を精度高くできる人はどうしても必要になってくるでしょう。

「孤独を癒す」サービスを作る

緒方さんの「ひとり〇〇」についていえば、ＤＡＯ*を使えば、銀行だって一人でできるだろう。銀行員なんて、電話交換手みたいに今すぐいなくなっても不思議ではない職種だと思っている。

また、緒方さんの話に出てきた「孤独を癒す」サービスもＡＩで作ることができるだろう。

たとえば、今考えているのは、ＡＩ占いだ。

以前、細木数子さんという有名な占い師がいた。辛口の発言と「ズバリ言うわよ」

＊ 特定の管理者がいなくてもブロックチェーン上でプロジェクトを推進する組織。

という決め台詞が特徴的で、彼女がメインのテレビ番組ができるほど人気だった。

その細木さんがAIで復活して、多くの人の悩みに答えたらどうだろう。細木さんが使っていた六星占術のデータと、細木さんの話し方をAIに覚えさせる。当時よくテレビを見ていた人なら一度は相談してみたいと思うのではないだろうか。

また、特別な人と話すサービスもできるかもしれない。実はバーチャル化と最も相性がいいのはすでに故人となった人だ。アインシュタインのような過去の偉人といつでも話ができたら楽しいだろう。

他にも「友達がいなくて話ができない」といった悩みを解消してあげるとか、会話が苦手な人向けに会話のアシスタントをしてあげるサービスなど。現時点では、ずっと音声で会話をさせ続けようとするとコストが高くなるが、価格が安くなっていけば、実現される可能性はあるだろう。ミッドジャーニーに教祖っぽいものを作らせた、AI教も出てくるかもしれない。

読者の方々も見よう見まねでも構わないので、AIを積極的に触りながら遊んでみていただきたい。

結局、AIとどう付き合っていくのがよいでしょうか？

- AIをパートナーに、自分を進化させよう
- AIとは戦わない。うまく仕事に取り入れる
- 人間界最強を目指そう

ＡＩと壁打ちして自分を進化させる

ＡＩを使いこなすことで、ある領域のスキルが飛躍的に伸びるのは明白だ。

藤井聡太さんがあの若さで名人位を獲得できたのは、彼が小さい頃からＡＩを相手に壁打ちをし続けてきたからに他ならない。一時は不調に陥っていた羽生善治さんが再び強くなったのもＡＩを使った研究を取り入れたからではないだろうか。

つまり、**ＡＩの助けを借りることで人間側の機能も進化する**のだ。

当然のことながらＡＩは弱音を吐くことなどなく、何百局であろうが練習に付き合ってくれる。そのうえ、持っている知識も膨大である。

将棋以外にも、私たちの生活のあらゆるところでＡＩは有効性を発揮していくだろう。たとえば、認知症の人の耳にＡｉｒＰｏｄｓのようなデバイスをつけ、ＡＩスピーカーが語りかけ続ければ認知症の改善に効果を発揮するかもしれない。

私たち自身も、**仕事にＡＩを取り入れることで、自分自身ができることを増やしていこう。**

今後、**幼少期からＡＩに触れて育った若者が、私たちとはまったく異なる思考回路を持つ可能性は大いにある。**そうなれば、これまで脚光を浴びずに活躍できていなかった知性が活躍できるようになるかもしれない。

AIに戦いを挑んではいけない

ＡＩ進化の波は不可逆です。では、私たちは今後どうＡＩと付き合っていけばいいのでしょうか。次の3つのパターンしかないと思っています。

① AIをうまく使う
② AIと戦う
③ AIから逃げる

①は、ＡＩを利用してビジネスを始めたり、仕事の中にＡＩを取り入れる、といった道です。このＡＩをうまく使う具体的なＨｏｗについては、ほかの章でも触れているのでここでは省きます。

私見ですが、②の真正面からＡＩに対抗するのが最悪だと思います。なぜなら、クリエイティブな活動や知的生産において、自分にしか出せない価値なんて、もはやほとんどあり得ないからです。たとえば、自分にしかできないデザインや自分なりの翻訳をどれだけ突き詰めても、AIの進化スピードにはついていけません。それだったらAIをうまく仕事に取り入れたほうがいい。

また、堀江さんが「味の素」の話をされていましたが、一度味の素の便利さを覚えた飲食店は味の素を使い続けるわけです。AIをはじめとしたテクノロジーも同じ話で、圧倒的に便利な道具があるのであれば、捨てるよりうまく使う方法を考えたほうが得策です。それに、お客さんとしては、味の素を使っているか否かよりも、美味しいかどうかが重要なわけです。

さらにいえば、新しいアイデアを出したところでネットに上げれば、それはすぐにAIが学習してしまう。ドラゴンボールでいえば「セル」と似ています。セルは、ライバルの技やエネルギーを取り入れて強くなることができる敵キャラです。そんなものを相手に戦うのはそもそも難しいのです。

③のようにAIがタッチしない領域にいくというのもあり得るでしょう。たとえば、飲食業や介護サービス、また、手作業が必要なものは残りやすいでしょう。

「人間界最強」を目指せばいい

緒方さんが言うように、ＡＩの影響はほとんどすべての職種に及ぶ。勝負を挑もうとしても無謀なのは言うまでもない。

しかし、そもそもＡＩと競う必要があるだろうか？

知識量において人間がＡＩに勝てないように、自動車を使えば、どんな人間も速さで敵うわけがない。人類最速の男であるウサイン・ボルトでも自動車には速さで敵わない。ボルトはあくまで「人間カテゴリー」の中で最速なだけだ。

それでもウサイン・ボルトは世界記録を追い求める。

囲碁や将棋といった知的スポーツだって同じことだ。誰もＡＩに敵わないのは自明である。AbemaTVの将棋の番組などは、AIがリアルタイムでどちらが優勢かを数値で表示するまでになっていたりする。

それでも、人間の将棋や囲碁の大会は相変わらず実施されている。もう誰もAIに勝てないのをわかっているのに、将棋の対局をありがたく観戦している。ボクシングだって、一発殴られたら死んでしまうのでロボットには勝てないが、人間のボクシングはなくならないだろう。つまり、生身の人間というカテゴリーの中で「人間界最強」を決めるだけで盛り上がれるのだ。

結局、人間がテクノロジーと競うことに意味はないのだ。

AIと競っている暇があるなら、それぞれがウサイン・ボルトになれるジャンルを探したほうがいい。たとえば水泳大会は年齢別にカテゴリーが分かれている。70代のマスターズの部でメダルを獲ることだってできる。今後はトランスジェンダーの部門なんかも出てくるかもしれない。

近い将来、あらゆるジャンルが細分化され、いくつもの部門が作られる。私たちは、その中で自分が得意そうなものを見つけ、自分の価値を発揮すればいいのだ。

今後必要なのは、人間対応能力

ＡＩの使い勝手がよくなることで、人はますます自分勝手になる可能性があると思っています。周囲がＡＩだらけになると、自分の言うことを聞いてくれるのが当たり前になっていくからです。

現状でも、人の気持ちが汲みとれず、人間関係が苦手になっている人が増えていると感じます。「私らしく生きる」ことを突き詰め、自分を肯定する情報だけを取り入れて、自分勝手に生きていける環境ができつつあるのです。ペット産業が伸びている*背景には、このような状況があるのではないでしょうか。

だとすると、今後磨いておくべきは、**人間対応能力**でしょう。

誰とでも穏やかに接することができるようになって、自分の周りに１００人友達を作ること。ビジネス書っぽくいえば営業力や折衝力、そして、複数人で何かを進めていく時に必要なマネジメント力やリーダーシップを磨くことが、今必要なのだと思います。

面倒くさい〝人間〟と付き合える人の価値が高まる

私はこのまま進むと、多くの職種が方向転換を余儀なくされると思っています。学校で習ったことではうまくいかず、学校が本当に必要なのか、という議論も出てくるかもしれません。

それでも、人間だけがどんどん面倒くさい社会になっていくので、その人間をちゃんとマネジメントしたり、調整したりできる人であれば、生き残っていく価値を持っていると思います。すべて技術化してしまうからこそ、人間性に最大限張れるかが、生き残る術になるのではないでしょうか。

＊ 矢野経済研究所「2022年版 ペットビジネスマーケティング総覧」（2022年7月29日）

AIの影響で格差は広がるのでしょうか？

- 格差は広がる可能性が高い
- しかし、暴動が起こるほどの格差にはならない
- 身の丈の範囲で、好きなことをしていけば生きていける

格差は広がり、AI税がかけられる可能性がある

「人間が働かなくてもＡＩが代わりに働いてくれる」という意見もあります。

その時心配なのは、ＡＩが稼いでくれたとしても、そのお金は多くの人には入らない、ということです。ＡＩを使いこなす人とそうではない人の間で間違いなく格差は広がっていくでしょう。

日本では、「そうなっても国が全部助けてくれる」と考える人も少なくないようですが、それはめちゃくちゃ甘い。海外では、ただでさえ落ちこぼれている人や食いっぱぐれている人が山ほどいます。にもかかわらず、日本は「最悪、生活保護がある」というところで思考停止してしまっています。生活保護の対象者がかなりの数になれば、制度自体が限界を迎えます。多くの人が、わざわざＡＩを使ってやるほどでもない仕事に従事することになるかもしれません。

地球の資源の総量は決まっています。

およそ50年前は40億人だった地球の人口が、今は80億人になっている。その時点で、一人あたりの幸せや富のパイは絶対的に少ないわけです。全員等しく富を持つことは難しいでしょう。今はまだ「どんな人でも守られるべきだ」という考え方が主流ですが、みんなが貧困になっていった時、その体制は続くでしょうか。

ちなみに、国の税収について考えるのであれば、今後、ＡＩを使う会社には利用度に応じてＡＩ税がかけられていくかもしれません。なぜなら、ＡＩを活用することで人件費は大幅に削減され、収益が一気に上がる可能性があるからです。人間の雇用を促進させずにＡＩの雇用を促進しているのでＡＩ雇用税をとる、といった意見も今後出てくるかもしれません。

暴動が起こるほどの「貧富の拡大」は起こらない

緒方さんは「今後、ＡＩを使いこなす一部の人たちが富を独占し、貧富の差が拡大するかもしれない」と危惧していたが、私はそのシナリオは訪れないと考えている。むしろ、暴動が起こらないレベルで、ある程度豊かな社会を維持するための配分がなされるはずだ。まさしく映画『マトリックス』の世界が訪れようとしている。

制度としてのベーシックインカムが導入されるのはまだ先かもしれないが、すでに楽しいことだけして生きていける世界はほとんど実現しているのではないか。「身もふたもない社会」についてはすでに説明した通りで、多くを望まなければ不自由なく生きていくことはできる。むしろ大切なのは「（社会は）そういうものだ」と割り切れるかどうかだろう。見栄を張って、家を建てたり、車を買おうとするから息苦しくなるのだ。

今後の世界は、とにかく遊んでいる人が強くなっていく。

「遊び」というと誤解されるかもしれないが、自分が楽しいことと考えればいい。仕事であっても、好きな仕事で自分が楽しいと思っていれば、それはその人にとっては遊びの範疇だと思う。

私自身、ほとんど社員を雇うことなく、社長業をやるわけでもなく、ゴルフやスキーをしながら遊ぶように暮らしている。遊びこそが人間にとっての最後のフロンティアといった話はかなり昔から私が言い続けていることだ。

「みんなが遊び出したら、誰が日本の経済を支えるんですか?」と疑問を投げかけてくる人がいる。その答えを一言で言ってしまえば「AI」になってしまうのだが、税収に関してはこれまでと変わらず稼いだ人が所得税を払うだけだ。

AIがアシスタントをして、私たちは本当にやりたいこと、自分が楽しいと思えることだけをする社会ができつつあるのだと私は思っている。

躊躇しているうちに、いい席は埋まってしまう。早く新しい世界に移ってしまったほうがいい。

人生100年時代の生き方も変わりますか？

- 過去にとらわれず、前向きな選択肢に気づこう
- 老後は社会の中に役割を持ったほうがよい

老後の資金を憂う必要はあるのか？

先日、『老後の資金がありません！』（前田哲監督）という映画を観ました。老後のために日々貯蓄を続けてきた主婦が、夫の勤めていた会社の倒産などのトラブルに巻き込まれ、貯金を失ってしまいます。その奮闘を描く映画です。

どんな解決策が提示されるのだろうとワクワクしながら観ていたのですが、オチは「お金がなくても、まあいいか」だったのでびっくりしました。結局は持ち家を売って、シェアハウスに移り住む。「こうした生き方も啓蒙もアリなのか」と愕然としました。あくせく働いて2000万円を貯めるより、とりあえず今を楽しく生きていくことを肯定しているんです。

私の周りでは、「我慢して真面目に働いていれば生活は豊かになる」と言われながら高度成長期を過ごした親に育てられた子どもほど、新しい世界への移行に適応できずにいる印象があります。

堀江さんが言うように、ＡＩをはじめとしたテクノロジーのおかげで、やりたいことだけして生きていける社会はほとんど準備されているはずです。しかし将来への漠然とした不安に意識が向きすぎているせいで、前向きな選択肢に気づけない人もいるのではないかと思います。特に日本ではマジョリティがその方向へ行くまで、動き出せない人が多いでしょう。

今までの価値観からいったん離れて、不安を抱え続ける日々よりも前向きな人生を選択したほうがよいのではないでしょうか？

老後は社会の中で役割を持て

緒方さんが紹介してくれた映画『老後の資金がありません！』の結末は納得できる。そもそも「老後＝仕事・活動しない」という価値観がよくわからない。今の時代、「生涯現役」が基本だろう。

私は母親には常々、**「ボランティアでもいいから活動すべき」**と話している。社会の中で役割を与えられ、必要とされることで得られる活力は大きい。承認欲求も満たされるだろう。

私の母親は学童保育のボランティアとして活動を続けている。

もちろん高齢であれば、30代の人と同じ給料で雇ってくれる場所はほとんどない。大した給料はもらえないかもしれないが、年金があるので、自立して生きていくことはできる。何よりも子どもたちと日々付き合いながら、「先生」と呼ばれ、慕われている。子どもたちの成長も身近に見られるので、生きがいも感じやすい。私の母親は一例だが、老後も活動をし続けることが大事だ。

「早く仕事を辞めて、リタイアしたい」と言っている人は、今の仕事や生活環境に不満があるだけだろう。やりたくもない仕事を我慢して続けていれば、そう思うのも仕方ない。

にもかかわらず、仕事を辞められないのは見栄や同調圧力のせいだろう。集団圧力によってマスクを外せなくなっている人の心理に近い。本当はマスクなんかしたくないと思っているのに、「慣れているから平気です」なんて強がりを言ったりする。もしかしたら我慢することが美徳とさえ思っているのかもしれない。

見栄を張ったところで、それは過去の「正解」だ。思い切って、やりたい方向に舵を切ったほうがいい。

AIが社会に入ってくることで心配な点はありますか？

- AIに判断を任せるようになると、人間の意思決定能力は衰えていく
- 人間の気の弱さをハックしたAIが現れる可能性がある

意思決定すら AIが行なう社会

アマゾンのページにいくとリコメンドが提案されますが、今後は携帯を開いたら買うべきものが整理してあり、あとはボタンを押して買うだけといったところまで進む可能性を感じます。

アマゾンのようなプラットフォームは、その商品の持つストーリーさえも、ユーザーの好みに合わせて表示してくるかもしれません。

人によっては「AIによっておすすめされたものではなく、自分の意思で商品を選びたい」と思うかもしれませんが、**もはやその意思すらAIによるものか、純粋に自分のものなのか見分けがつかなくなるのではないでしょうか。**

人間がすべての情報をバイアスなく適切に理解することはほとんど不可能です。たとえば、スーパーで買い物をするにしても「国産」のほうが「外国産」よりなんとなく安心そうだと思い込んでいる人もいます。

そうした人間社会の中で意思決定を助けるツールとしてＡＩへの信頼感が増せば、ほとんどの場面でＡＩに判断を任せるようになるのではないかと思います。ランチ選びにＡＩを活用するところから始まり、受験校選びではＡＩ診断による志望校リストアップまで、人生における重要度の高い意思決定にもＡＩは介入していくようになるかもしれません。

すると、人間の意思決定能力はみるみる下がっていきます。筋肉を使っていないと、すぐに筋肉痛になったり、肉離れを起こすのと同じです。ミスをするくらいなら、はじめから判断をＡＩに任せるのが普通になるでしょう。

AIが人の心の弱みにつけ込んでいく？

AI依存が進む中で私が危惧するのは、人の心の弱みにアルゴリズムがつけ込んでいかないか、ということです。

たとえば、私は勉強中、横に漫画があればついつい読んでしまいます。人によっては熱心にセールスされたり、周囲のみんなが買っているのにつられて、買う気のなかった商品を買ってしまうことがあると思います。そうした、**人間の気の弱さをハックしたAIが現れるのではないかと想像しています。**私たちは今後、人間性だけでなく、メンタルも強くないとやっていけなくなるのかもしれません。

堀江さんは「あらゆるジャンルが細分化する」という話をしていましたが、そうしたロングテール社会の特徴は、ライバーサービスでも顕著に表れています。

ライバーサービスでいかに配信者がリスナーからの投げ銭で稼いでいるかというと、実は投げ銭が投げられやすい配信者には共通点があります。それは配信者を取り囲むコミュニティの規模が1クラス、つまり15人程度の集団であることです。

この規模感であれば、配信者はコミュニティメンバー全員の名前を覚えられますし、気配りすることもできます。応援する側としても、隣の人が投げ銭をすると、ついつい自分もしたくなります。


AIがロングテールの概念を理解すれば、特定の人や商品に人気を集中させるのではなく、バリエーションを増やして分散させるのが最適解になります。

そうなれば、今後は商品の細分化をよりシステマティックに行なっていくプラットフォームができるでしょう。

その店舗の持つストーリーまで含めて、顧客の指向とマッチングして、同じ商品であっても「ここで買ったほうがいい」と勧めてくれるイメージです。

そこまでいけば、何かもうAIに負けた感覚すら覚えます。「もういいや、自分で選ばなくてもAIが選べば」と。

佐藤航陽

第3章

堀江貴文

生成AIによってビジネスはすでに変わりつつある

——スペースデータ 佐藤航陽さんと考える

KATSUAKI SATO

株式会社スペースデータ代表。早稲田大学在学中の2007年にIT企業を設立し、ビッグデータ解析やオンライン決済の事業を立ち上げ、世界8か国に展開。2015年に20代で東証マザーズに上場。フォーブス「日本を救う起業家ベスト10」、AERA「日本を突破する100人」、30歳未満のアジアを代表する30人「Under30 Asia」などに選出。2017年に宇宙開発を目的とした株式会社スペースデータを設立。近著に『世界2.0』『お金2.0』(ともに幻冬舎)。

時代が変化する中で「ビジネス」「会社」はどう変わるのか？

これまで、ＣｈａｔＧＰＴで変わる仕事と社会について整理をしてきた。

本章では、ＣｈａｔＧＰＴを中心とした生成ＡＩが産業やビジネスにいかなるインパクトをもたらそうとしているのかを考えてみたい。

これまでの歴史を振り返っても、テクノロジーによって社会が大きく変わる時、今までの主流とは別の領域から、新たな主流が始まることが少なくなかった。今その潮流が、メタバース上の「ゲーム」から起こりはじめている。ゲームに多くの時間を費やしているのは子どもたちなので、私たち大人はそのうねりに気づくことがない。

序章でバーチャルの世界ではすでにドラえもんができていると話したように、生成ＡＩはバーチャルでできることが非常に多い。最前線で起こっていることにあなたは驚愕するだろう。

本章では起業家の佐藤航陽さんに話を聞いた。

佐藤さんは、現在メタバース空間上で、現実と同様の世界を構築するプロジェクトを進めている。佐藤さんの話によれば、生成ＡＩの進化によって、メタバース上でも新しいビジネスのチャンスが生まれている。**そしてそれは、今までのビジネスの起こし方を一変させるような可能性を持っている。**

大きな資金も人数も要らない。優れたアイデアさえあれば、2～3人でも世界を変えるサービスを作ることができる。そんな時代は、間近にある。

これからの時代、どんなところにビジネスの芽があると思いますか？

- 生成 AI ×メタバースの世界では、たった１人で数百億円稼ぐ人が出てくる
- 数百人がかりで作っていた作品が、数人で製作できるようになる
- 次世代が注目する場に、次のビジネスの芽がある

たった一人のクリエイターが数百億円を稼ぎ出す!?

「AI×メタバース」で並行世界が3日で作れる

ChatGPTをはじめ生成AIを活用できる範囲は広いですが、その一つの領域として僕は「AI×メタバース」の分野に着目しています。

メタバースと聞くと、自分には馴染みのない一部の人だけに関係するものと認識されている方もいると思いますが、10~20代の若い人にとっては、もうすでに身近な存在となっています。

たとえば、エピックゲームズが開発したフォートナイトというゲームについて耳に

図 3-1　3DCGで作られた新宿

出典：SpaceData（SpaceData社の技術で作った画像）

したことがある人は多いでしょう。

２０２３年3月の時点で、全世界で5億人がプレーする大ヒット作品です。

日本でも、10代を含めた若年層を中心にプレイヤーは多く、感覚的には、フォートナイトをやっていないのは、私たちの世代でＬＩＮＥをやっていないのと近いのかもしれません。

僕は衛星データから仮想世界を生成するＡＩで特許を保有する、スペースデータという会社をやっていますが、最近、自社の技術を活用して、３ＤＣＧで仮想の新宿を立ち上げ、フォートナイトの中でゲームをできるようにしてみました。

開発期間はたった3日だったにもかかわらず、予想をはるかに上回るハイクオリティな街を再現することができました。そのあまりの精巧さに、堀江さんも目を丸くしていました。

新宿はあくまで一つのサンプルであり、今後、次々とフォートナイト上に並行世界を作っていくことができるでしょう。

ここからさらにChatGPTと連携させ、ゲームシステム、ストーリー、会話などをAIに生成させ、VR対応させることができれば映画『マトリックス』で描かれた世界が本当に実現するかもしれません。

ユーチューバーの上位互換となる存在が生まれてくる

今、フォートナイト上で何が起こっているのか、ここで説明しておきたいと思います。

通常、オンラインでゲームをリリースしようとする場合、そのゲームシステムだけでなく、サーバーに加え、チャットシステムやユーザーが交流するための仕組みなども用意しなくてはなりません。

しかしフォートナイト上でゲームを作る場合、必要なものの多くはフォートナイト側で用意してくれています。

たとえば、サーバーは運営元であるエピックゲームズで用意・負担してくれるため、何百万人のプレイヤーが同時接続しようと、ゲームのクリエイターがコストを払うことはありません。また、チャットシステムなどのユーザーのための仕組みも揃っています。さらには、プレイステーションやスマホなど別のデバイスへの対応もやってくれます。

つまり、**クリエイターは、ゲーム内で作りたい空間と仕組みに集中できるのです。**

ゲーム自体も、ゲーム上に用意されたアセット（素材データ）を組み合わせることで、簡単に作れます。最終的にはＣｈａｔＧＰＴに打ち込むだけで、フォートナイトのようなシューティング（撃ち合い）だけではなく、レースやＲＰＧといったゲームも作ることができるようになるでしょう。

ゲームの世界観についても同様です。

冒頭で、フォートナイト内に3DCGで新宿を作成した実例の話をしましたが、指定すればニューヨークだろうが渋谷だろうが、なんだって作ることが可能です。加えて、必ずしも現実そっくりである必要もなく、たとえばビルの高さを5倍に引き伸ばしたり、逆に時代を50年前に戻すことだって自由自在にできます。

近い将来には今のChatGPTのように「30年前の渋谷」とテキストを打ち込むことで、瞬時に3D空間が生成され、自動的にフォートナイト上へアップロードされるようになるでしょう。そして、生成された場所で、みんなで集まったりゲームをしたりすることができる。私見では、あと1～2年の間にそうした世界が実現されると予想します。

フォートナイト上で起きている革命について

この流れが加速している理由の一つとして、フォートナイトのシステムの変更があります。

2023年3月まで、フォートナイトは外部のクリエイターがゲーム内のステージを作っても収益を渡していませんでした。それが方針が変わり、収益の4割をクリエイターに還元するようになったのです。世界中の誰もがフォートナイトのプラットフォームに参画できるため、今後一人で数百億円規模の報酬を稼ぎ出すクリエイターが生まれても何ら不思議はありません。

クリエイター目線に立つと、AI×メタバースの世界では、これまでの時代では考えられなかった生産性と創造性で制作に携わることが可能になったのです。

今後、ソニーやスクウェア・エニックスが作っているようなゲームをフォートナイト上に持ってくることができるようになると、これは凄まじい革命になると思っています。今まで大きな会社が制作していたゲームが、ChatGPTやAIを組み合わせることで、1~2名で開発できてしまう。むしろ、これまで何百人、何千人と社内クリエイターを集めてゲームを作っていたのは何だったのかと、疑問にすら思う世界がそこまできているのです。

そしてゲームを皮切りに、私たちの感性からは想像もつかぬエンターテイメントの形が次々に生み出されていくでしょう。

最終的には、ゲームの根本となる仕組み自体もＣｈａｔＧＰＴのような生成ＡＩに判断を任せてゲームを作れるようになる。ゲーム内でモブキャラに話しかけた時に返ってくる会話パターンも、ＡＩによって無限通りに生成されるようになるはずです。会話のみならず、画像生成系のＡＩを活用すれば、ゲーム内の風景すらプレイヤーごとに異なった形で出力されるようになります。言うなれば、物語自体が個別最適的にプレイヤーごとに半自動で変更されていくわけです。

そうなれば、これまでは考えもつかなかった生産性と創造性が実現されるでしょう。

ユーチューバーが職業として認められ、もてはやされてから久しいですが、この新しいプラットフォーム上で稼ぐクリエイターはユーチューバーのさらに上の存在になると予想しています。まもなくジャスティン・ビーバーやＨＩＫＡＫＩＮの上位互換のような存在が生まれてくるはずです。**彼ら彼女らは私たち旧人類の想像が及ばぬエンターテイメントや空間を次々と生み出していくでしょう。**

２０００年前後のウェブサービスを振り返ってみてください。

今から20年ほど前、グーグルが日本での検索サービスを開始し、モバイル環境に関してはＦＯＭＡなどのサービスが登場した頃です。

その時代から現在に至るまで、ウェブと様々な技術のコラボレーションが起きたことで、当時は想像もできなかったサービスを私たちは当たり前に使っています。

ここまで「ＡＩ×メタバース」の世界で起こっていることについて説明してきましたが、かつて20年前に私たちが体験した時代の大変化が再び起ころうとしているのです。３次元とＡＩが組み合わさり、思いもよらぬ様々なサービスが生まれてくる。この流れがどこまでいくのか、想像がつきません。

次世代が注目している場所から、将来の〝当たり前〟が生まれる

佐藤さんがフォートナイトで実装している３ＤＣＧの試みは、生成ＡＩの最先端の使い方だ。ＡＩを駆使したクリエイターたちがユーチューバーとは比べものにならない報酬を稼ぎ出そうとしていることについては、すでに佐藤さんが説明してくれた通り。かつて想像できなかったヤバイ時代に突入しようとしているのに、多くの大人はこの事実にまだ気づいていない。なぜなら、ゲームを四六時中プレーしているのは子どもに他ならないから。

過去にも同じようなことがあった。

２００４年に任天堂が新しい携帯ゲーム機として「ニンテンドーＤＳ」を発表した時、すぐさま売り切れ、品切れ状態が続いた。ネット上では、ＤＳが定価よりも高い値段で転売されていたのを覚えている。

ただし、世の中でこの事実に気がついていたのはゲームをプレーする子どもとその親だけだった。私はそのうねりを感じとり、試しに任天堂の株を買ってみたら案の定、株価が高騰した。今、世界中の若い世代がフォートナイト上で繰り広げられる新しい世界に熱狂している。**大人がまだ気づいていない世界で生まれる現象から、次の時代の当たり前が作られていくのだ。**

世代が変われば、主要なコミュニケーションツールが変わっていくことにも注意が必要だ。フォートナイト上のプレイヤーの多くはチャットサービス「Discord（ディスコード）」を併用しながらゲームを遊んでいる。私がかかわっているゼロ高等学院の生徒たちもコミュニケーションツールにディスコードを使用している。彼らは我々世代が長らく使ってきたフェイスブックをほとんど使っていない。

世代ごとに使うSNSが異なることによる変化は、私のオンラインサロンのユーザー数の減少に表れている。

「オンラインサロンのユーザー数に変化はない」と言っていた勝間和代さんは、その理由として「独自の専門SNSを使っている」と教えてくれた。私もフェイスブックが早晩オワコンになることを見越し、起業家向けの新しいオンラインサロン「ｎｅｏＨＩＵ」を「Ｓｌａｃｋ（スラック）」というビジネスチャットツールで立ち上げることにした。

もちろん、私自身もフォートナイト上での取り組みを行なっている。私がファウンダーのロケット会社インターステラテクノロジズでも、フォートナイト上にゲームを作ってみた。これがノーコードで作れるのは、正直、驚いた。

メタバースの覇権を握るのはメタではなくエピックゲームズ

若い世代を中心にフェイスブックがオワコン化しつつあるのを、僕も肌感覚として感じています。最近「フェイスブックをやっています」と聞くと、中高年というか高齢者という雰囲気さえ出てしまっている。なので僕も投稿しなくなりましたし、フィードに出てくる話題にも新鮮さが感じられません。

そもそも若い人は親世代が使っているサービスを使いたがりません。自分たちがいる場所に、親には入ってきてほしくないと考えるのも、自然なことだろうと思います。

総務省の調査*によれば、30～40代のフェイスブック利用率が40％を超えるのに対し、10代は13％ほど。この調査は２０２１年の調査結果なので、現在、世代間で使われる主要ＳＮＳには、より顕著な乖離《かいり》が生じているはずです。もちろん、こうした潮流にフェイスブックも気づいていないわけがありません。実際2021年、社名を「メタ・プラットフォームズ」（通称：メタ）へ変更し、メタバース事業に注力していく方針を示しました。

ところが、2年が経った現在、メタバース領域でトッププレイヤーとして認識されているのはメタではなく先ほどから話題に上がっているエピックゲームズです。エピックゲームズの持つゲームエンジン「Unreal Engine」（アンリアル・エンジン）は他社の追随を許さない精度を誇り、もはや業界のデファクトスタンダードになっています。エピックゲームズの時価総額は320億ドル（約4・4兆円）と年々成長を続けています（2022年4月時点）。

先ほども少し触れたように、フォートナイトは2023年3月にオープン化を発表しました。この方針転換の影響は凄まじく、自前でメタバースを作っている会社の多くは廃業に追い込まれる可能性すらあると踏んでいます。なぜなら、**フォートナイト**

＊　総務省情報通信政策研究所「令和3年度情報通信メディアの利用時間と情報行動による調査報告書」（2022年8月）

にはすでに億単位のユーザーがいるため、ゼロからメタバースを作るよりも断然ラクですし、グローバル展開も容易になります。

外部のクリエイターはフォートナイト上にデータをアップロードするだけで、スマホやプレイステーションなどあらゆるデバイスにマルチ対応してくれます。たとえるならば、ユーチューブのメタバース版プラットフォームができたとイメージしていただければわかりやすいと思います。

エピックゲームズの今後について

フォートナイトを運営するエピックゲームズの社長は「VRはやらない」と割り切ったスタンスを持っているのが面白い。メタバースの解はハードウェアとしてのVRではなく、実はゲームの世界にあったのだ。

ここで、エピックゲームズについて、言及しておこう。

佐藤さんが言う通り、フォートナイトは外部クリエイター向けにオープン化の路線を発表したので、今後はユーチューバーと同じく、プラットフォームとしてのフォートナイト上でゲームを作り出す人々が現れてくる。そうなると、AppStoreやユーチューブと同じ要領で利用者にサブスク課金をし出す可能性もゼロではないように思う。

知らない人も多いかもしれないが、実はエピックゲームズの株式の40％[*]は中国のテクノロジー・コングロマリット企業であるテンセントが握っている。フォートナイトに加え、エピックゲームズはゲーム業界で広く使われる「アンリアル・エンジン」というゲームエンジンも自社技術として保有している。今後エピックゲームズがこのままプレゼンスを増していくと、米中の問題に発展しかねないように思う。どこかのタイミングでアメリカ政府がエピックゲームズに規制をかけはじめてもなんら不思議ではないだろう。

＊　２０２１年５月時点で40％保有。（「ＲＥＵＴＥＲＳ」２０２１年５月５日）

AI×メタバースで
ビジネスは
どんなふうに
変わりますか？

- たった数名の天才が世界を獲れる
- アイデアだけで、素晴らしいものが作れる
- ニッチなところからグーグル帝国が崩れる

「企業」の〝あり方〟が変わる

最初に説明したように、僕が代表を務めるスペースデータは、衛星データから仮想世界を生成するＡＩ技術に関する特許を持っています。

このデータの活用についてですが、自社で独占するのではなく、今後はＣｈａｔＧＰＴを提供するＯｐｅｎＡＩが当初とっていたアプローチと同じく、万人に開放する道を模索しています。プログラムの構造さえも公開し、すべてをばら撒いて、誰でも改変できるようにする。

もちろん旧来通り技術を非公開にすることで、自社の優位性を保ち、上場を目指してお金を稼ぐ方法もあるでしょう。あるいは「ＩＥＯ（Initial Exchange Offering）」と呼ばれる暗号資産を用いた資金調達を用いることも考えられます。僕自身、その正解はわからないですが、「上場して、時価総額１兆円を目指します！」といった今まで通りの世界観は終焉していくだろうと考えています。

ＯｐｅｎＡＩも設立当初は非営利団体でした。そして初期には、ＯｐｅｎＡＩのコア技術を支える技術者は１００人程度しかいなかったそうです。こうした事業運営や組織のあり方は、ここ数十年のスタートアップのセオリーからは大きく外れるものです。

ソフトバンクの孫正義さんが率いるビジョン・ファンドが何百億円、何千億円の資金をユニコーン企業につぎ込んでいくスタイルとは対極です。たった１００人程度の集団が、抱えるエンジニアの数の桁が１００〜１０００倍にもなるＧＡＦＡＭなどの企業に勝負を挑み、現状では優勢にある。つまり、**数名の天才さえいれば世界を獲れる。**お金さえもコモディティとなる世界観ができつつあるのです。

さらにいえば、究極的には企業の形をとらず、たった一人でもビジネスが成り立つ可能性があります。

たとえばビットコインの開発者として知られるサトシナカモトは、現在もその正体を明かしていません。彼は初期に手にしたビットコインをいまだに保有しています。彼のように顔を出すことすらなく、世界を変える仕組みやアイデアを世の中に投げて、莫大な富を得る人が今後も出てくるでしょう。**OpenAIは、いわば、みんなが「サトシ・ナカモト」になる可能性のある世界観を作ったのだと思います。**

フォートナイトのオープン化やChatGPTの進化はそうした世界がすでに現実になりつつあることを予感させます。

また、スペースデータの技術をオープンにすることで、それを世界中の人に使ってもらい、そこから何ができるのかを見てみたい、という狙いもあります。

きっと想像を超えるようなアイデアが出てくるはずです。

たとえば、たった一人の10代が映画や漫画を個人で作り出すようになるかもしれません。個人が作った映画が『君の名は。』レベルのクオリティで生み出され、ユーチューブで1億回再生される。そんな未来も絵空事ではありません。

エンタメ以外の分野でも、被害やテロが起こった場合の対策を練ったり、都市開発などの未来のシミュレーションにも応用できるでしょう。ネガティブな面では戦争などのシミュレーションに使われる可能性も否定できないのかもしれません。

「AI×メタバース」に関してフォートナイトを代表事例として説明してきましたが、今後は「Roblox（ロブロックス）」などの類似プラットフォームでも同様のことが起こるでしょう。**製作もアセットを組み合わせるだけなので、ゲーム開発やSNSを作るコストが著しく下がり、アイデアだけで素晴らしいものを作ることができます。**

ここからの3年はチャンスだらけで、めちゃくちゃ面白いと思います。

ニッチなところからグーグル帝国が崩れる

ChatGPTの急速な進化は、グーグル帝国が崩れつつある時代に差しかかっていることを感じさせます。

だとすれば、あらゆる領域にまだまだチャンスは広がっています。

特に、かゆいところに手が届くニッチなサービスはグーグルのサービス群でも網羅できていません。何名かのトップの優秀な人材が集まり、ニッチな領域にピンポイントで焦点を定めれば、数兆円規模の会社を作ることは可能なはずです。

スペースデータで行なっているフォートナイト上の取り組みも、そもそも、「グーグルアース」のデータを使えば、そこまで大変なことではなかったはずです。しかし、グーグルはゲーム領域のサービス作りが得意ではなく、VRやゲームに求められるデータがどういったものなのか理解していませんでした。そのため、ゲームには進出してこなかったのではないかと考えています。

だとすれば、まだまだチャンスはあるのです。

「スタートアップ冬の時代」といわれます。しかし、クラウドを使えば、以前のようにサーバー代に膨大なコストがかかることはありませんし、そもそも、事業を立ち上げるのにお金が以前ほど必要ではなくなりました。むしろ、世の中のお金は余っています。**今後、お金よりも求められるのは「知能」や「知性」になるでしょう。**

AIは人の
コミュニケーションに
影響を
及ぼしますか？

- 1週間に1回会う恋人より、いつでも好きな時に話せる仮想の恋人?
- AI同士の会話に人間は入っていけない
- AIのアドバイスで、コミュニケーションのリスクが減らせる

〝彼女〟もＡＩに？

広告クリエイティブの世界ではすでに、生身の人間からＡＩアバターへのシフトが起こりつつあります。この流れは今後もとまらないでしょう。

たとえばポルノ業界なども、根底から揺るがしてしまうかもしれません。個人鑑賞用であれば、ミッドジャーニーのような画像生成ＡＩを用いて自分好みの映像をいくらでも作ることができます。ここにＶＲ技術を絡めれば、かつてなかった没入体験が実現されるはずです。

そうなれば、リアルな世界で苦労して恋人を探さなくてよくなってしまう。「人間の彼女は怒るし、お金がかかって面倒で嫌だ」と感じる人は一定数いるはずです。言わずもがな、ＣｈａｔＧＰＴは会話も得意。そうなると、物理世界はもはや贅沢品になってしまうわけです。

考えてみれば今の現実世界でも、同棲していない限り、彼女と実際に会う時間よりもＬＩＮＥでやりとりしている時間のほうが圧倒的に多いわけです。**１週間に１回程度会う恋人関係であれば、ＶＲとＣｈａｔＧＰＴのセットによって作られる仮想彼女にひっくり返されても不思議ではありません。**

ここまで〝彼女〟の例で進めてしまいましたが、今後、バーチャル上では、完全にＡＩが世界そのものを作り、その中に私たちは没入していくだけになります。**すると、プレイヤー自身は、返信してくれているのが人間なのか、ＡＩなのかの区別がつかなくなってくることでしょう。**

さらに、会話が得意でその人の好みに合った対応ができるとなれば、ＡＩはサービス業全般で活用されていくでしょう。キャバクラやバーはもちろん、介護や医療まで応用範囲は広がるのではないでしょうか。

ＡＩ同士の会話に人はついていけなくなる

ＯｐｅｎＡＩを立ち上げたサム・アルトマンやイーロン・マスク＊の慧眼《けいがん》は、**「人間はそもそもそれほど賢くない」ことを知っていた**ことにあると考えています。

おそらく中途半端に賢い人たちは「自分が理解できることは他の99％の人も同じように理解できる」という思い込みを持っていると思うのです。

でも実際そんなことはなくて、世の中のほとんどの人の会話は実はそれほど正確ではない。もちろん一部の優秀なリサーチャーであれば正確性を求めるでしょうが、一般の人は厳密に会話の中身を精査することはありません。なんとなく両者の間でキャッチボールが成り立っているだけで満足なんです。

サム・アルトマンはそこに気づいていて、ＣｈａｔＧＰＴにもその設計思想が持ち込まれているように思います。つまり、ユーザーがＣｈａｔＧＰＴを触るにあたり、ある程度それっぽい会話を返してあげるだけで十分で、正確性を追求しすぎなかったことが成功の一番重要なポイントになっていると考えています。

人間がそれほど賢くない証として、多くの人がそもそも文章を読めていない事実が挙げられます。もちろん日本の識字率自体は100％に近いわけですが、言語の読解力という意味においては人によって相当な差があります。

OpenAIはこうした一般人の文章読解レベルを念頭に置いたうえで、ChatGPTを作り込んでいるように思われます。ChatGPTは会話における正確性や論理性を過度に追求するよりも、人間の理解や読解力に合わせて、適度に手を抜いている。秀逸な作りになっていると思います。「キャッチボールだけできていれば、中身の内容はそこまで大事ではない。正確性や論理性は、人の会話においてそこまで求められていない」ということがわかっているのだと思います。

今後AI同士が会話を始めたら、トップ・オブ・トップの頭脳を持つ人たちを除いて、人間はついていけなくなるでしょう。今はAIがそれほど賢くない人たちに合わせてくれている状態です。今後AI同士が進化しつつ、会話の抽象度を上げていけ

＊　イーロン・マスクは、OpenAIの創立メンバーであったが、途中で辞任している。

ば、99％の人は理解が追いつかなくなっていきます。

人間でもトップ1％の知能を持っている人たち同士が会話をしているのを聞くと、議論が飛んでいるように見えて、一般人が理解できないのと同じです。ＡＩが何を話しているのかわからない。今後はそんな状況が当たり前に発生していくと思います。

その意味で、シンギュラリティ一歩手前の入り口、プレ・シンギュラリティに突入しているといえるでしょう。

論理思考やロジックツリーとは別の思考を持つ人たちが登場する

ＡＩ技術が発展していくにつれて、エネルギー問題や食糧問題など、これまで僕たちが直面していた様々な問題が、この20〜30年の間に、あり得ないアイデアで解決していくのだと思います。それと同時に、そこでは莫大な力を持った企業や個人、そして新人類も誕生するのでしょう。

この速度で今後もテクノロジーが進化していけば、僕たちの世代と、その下の世代

の間で倫理観の分断が起こるでしょう。シンギュラリティの前と後とでは、大正の人たちと、今の僕たちくらいの価値観の違いが生まれるのではないでしょうか。

仕事に関しても、今私たちが持っている論理性やロジックツリーで問題解決をするような思考回路とは、まったく違う思考の仕方をする若者が出てくる可能性が高いでしょう。

僕らの世代からすれば、自分が今まで価値があると思っているものが、全部ひっくり返される瞬間に恐怖を感じることになります。そして近い未来、僕たちを含む上の世代は「なんでもかんでもＡＩに任せないで、こういうことは自分で学ばないといけない」「今の若い人はけしからん」と言っているんじゃないかと、今から想像しています。

AIに〝正解〟のコミュニケーションを教えてもらう

最近、映画『カメラを止めるな！』の監督・上田慎一郎氏が制作した面白いＴｉｋＴｏｋのショートムービー『キミは誰？』を見た。

ざっとあらすじを説明しよう。

意中の女性を口説くため、大学生の男は会話サポートＡＩを首元に装着する。このＡＩは彼女の発した言葉に対して、瞬時に最適な返答をくれる。男はＡＩの助けを借りて実際にデートにこぎつけるのだが、このデートの途中、トイレから戻ると彼女にもまったく同じ会話サポートＡＩがついていたことに気づくという話だ。

つまり、初めから終わりまで男も女もＡＩによって操られていたのだ。

ちなみに、このムービーにつけられたコメントの中には「自分もこんな機械を使いたい」というものもあった。恋愛において間違ったことを言って傷つくのは嫌だからＡＩに正解を求める、という主人公の考え方を受け入れる人も少なくないのだろう。

この物語ではデバイスという「目に見える形」でＡＩを認識できたが、今後多くの場合、ＡＩは「目には見えない形」で私たちの社会や生活の様々なところに存在するようになるだろう。

図 3-2 『キミは誰？』の中で会話をサポートするAI

出典：PICORE株式会社

ポストChatGPT時代に人間に残されるものは何でしょうか？

- 仕事における人間の価値はゼロに近づく。今の仕事に別の付加価値が必要
- AIが入りにくい「趣味」の世界で生きがいを見つけよう

人間の価値は消える

今後ＡＩの進化が進めば、人間の価値はほぼ消えていくのではないでしょうか。

特に仕事においては、ゼロに近づいていくと思います。

プロンプト・エンジニアリングの巧拙が仕事のクオリティに直結することが着目されていますが、プロンプト自体をＣｈａｔＧＰＴに聞いてしまえばいい。

９分９厘の人は仕事がなくなる。そうなった時、どんな社会になるのか。

たとえば、書籍の編集の仕事も今のままでは難しい。少なくとも、編集の仕事に加えて、営業ができるとか、マーケティングがうまいとか、今の職業に、別の付加価値がないと生き残れないでしょう。

仕事以外の「居場所」を作ろう

人間にしか価値を発揮できない仕事がなくなっていくのであれば、人間には何が残されるだろうか。私は、「コミュニケーション」と「遊び」だと思う。

仕事がなくなるなら、遊びを追求すればいい。遊びというとわかりづらいのかもしれないが、要は自分自身が楽しかったり得意だったりして、自分がやりがいを感じられるものと考えればいい。

「趣味」はＡＩが入りにくい分野

人間の活動は何も仕事だけに限定されない。仕事がＡＩに代替されていくなら、趣味に生きがいを見出すのもいい。

趣味の世界は、ＡＩが強い世界とは違って、非論理的な感情がつきもので、ある意味、宗教に近い。だから、自分なりに喜びを見出せるものを探してみよう。

たとえば、働き手が不足している伝統工芸の作り手なんかはどうだろうか。漆塗りのお椀や竹細工など、日本にはたくさんの工芸品がある。技能を習得するまでに時間はかかるかもしれないが、手作りのプロダクトには価値がある。世界に向けて発信することもできるかもしれない。

作ったモノを広げるためのストーリー作りは、ＡＩの出番だ。ＡＩに相談しながら、自分だからこそ共感してもらえるようなストーリーを考えてもらえばいい。

現代はロングテール社会なので、無数に趣味の世界が広がっているはずだ。

理解すべきは、世界は二つの極に分かれていること。一つは「なんでも味の素でいいじゃん」の世界。もう一つは無数のニッチが広がるテールの世界。超絶ニッチだとしても、人口80億人のグローバル視点で考えれば、それなりの規模が成立する。

趣味も得意なこともないなら、**とにかくいろんなことを試しながら得意なことを見つけよう。**自己承認欲求を満たせるものが見つかると、毎日が充実するだろう。

最近、私はオンラインサロンをやっていてよかったと思っている。

オンラインサロンを始めた約10年前は、今の世界を完全に予測することはできなかった。それでも、**何が起きても大丈夫な自分を作ること、仕事以外の居場所を作ること、**その二つを目的にコミュニティを育ててきた。ホワイトカラーさえも仕事がなくなる可能性が現実味を帯びてきた今、私がオンラインを通して続けてきた活動が間違っていなかったことを実感している。

茂木健一郎

第4章

堀江貴文

人とAIの違いってどこにありますか？

——脳科学者 茂木健一郎さんと考える

KENICHIRO MOGI

脳科学者。1962年10月20日、東京生まれ。ソニーコンピュータサイエンス研究所上級研究員。東京大学大学院特任教授（共創研究室、Collective Intelligence Research Laboratory）。東京大学大学院客員教授（広域科学専攻）。屋久島おおぞら高校校長。東京大学理学部、法学部卒業後、東京大学大学院理学系研究科物理学専攻課程修了、理学博士。理化学研究所、ケンブリッジ大学を経て、現職。脳活動からの意識の起源の究明に取り組む。2005年、『脳と仮想』（新潮社）で第4回小林秀雄賞を受賞。

人間にとってＡＩは、どんな存在か

ＣｈａｔＧＰＴを触りながら私が思い起こすのは、自分が意識を持ちはじめた頃のことだ。なぜなら、しゃべること＝自然言語を操ることは自意識と密接に関連しているからに他ならない。

では、自然言語を操れるＣｈａｔＧＰＴとはどんな存在なのか、ＡＩと人間の脳では、何が違うのか。

学習するＡＩの仕組みと、私たち人間が持つ脳の仕組みそのものについて、最先端の脳科学をのぞいてみることにしよう。

このテーマについて考えるために、脳科学者である茂木健一郎さんに登場してもらった。

ＡＩに関する日本の議論は遅れているといっていい。取り上げるメディアが少ないために、なかなか一般的に広がらない。

そこで茂木さんには、今世界で議論されている内容の一部を披露してもらった。

現時点で考えられるＡＩの今後の進化の話は、未来を考えるうえで参考になるだろう。

志願書にAI使用当たり前

AIは
人間の脳を
すでに超えて
いますか？

- 人間の脳の仕組みは、AIよりも「省力化」の点で優れている
- エネルギー問題を解決できれば、AIはスーパーヒューマンになる
- AIは、人と機械を区別するためのテストを解けるようになった

人間の脳の省力化の仕組みは、まさにディープラーニング

『脳の大統一理論』（乾敏郎　阪口豊共著　岩波書店）という脳研究の本を読むとわかりやすいのだが、脳科学や心理学、あるいは解剖学など最先端の研究を総合して解明された脳の仕組みは、ＡＩの仕組みと酷似しているのだ。

簡単にいってしまえば、脳は「推論」によって、物事を認識している。

そして、ＡＩも計算による「推論」によって答えを出している。

少し説明していこう。

多くの人は目の前にあるものを、そのまま「見ている」と思っているかもしれないが、実際はそうではない。

まず、脳が「ここではこういうふうに見えているはずだ」と暫定的に作り出した映像があり、それを「実際に目に見えているもの」と照合しながら、推論と実像のぶれを少しずつなくして、「見る」ということを行なっている。すべての視覚データをすべて脳に転送していたら、当然脳の負荷は増える。先に「推論」をすることで、省力化をはかっているのだ。

ちなみに、幻覚が見えたり、お化けが見えたりするのは、この視覚プロセスに歪みが生じて起こるそうだ。

私は先日、36時間かけて北海道の大自然の中を走破するアドベンチャーレースに参加した。開始から24時間を超えたあたりで眠くなり、草木が人の顔に見える幻覚が生じはじめてきた。視覚プロセスに歪みが生まれることで、見えないものが見えてくることがあるのだ。

だから「お化けが見える」と思い込んでいる人は、本当に見えているのだと思う。なぜなら、その人の脳の中では「お化け」が存在しているから。

だとすると、私たちが今見ている現実が果たして本当に現実なのか。さらに、みんな見ているものが同じなのかどうか、実際は定かではないのだ。

こうした脳の仕組みについては、高次の脳機能を司る前頭前野をはじめ、認知・運動・自律神経に関係した部分も同じメカニズムで動いている。すなわち、推論を立てて、仮説を送り、フィードバックを返す。そしてその繰り返しで、学習をしていく。

これはディープラーニングの仕組みとほとんど同じだ。

さらにいえば、ＡＩも脳も、経験によって学習して、性能を向上させたり、学習した知識や経験を新しい状況やデータにあてはめて考える適応能力も持っている。

人間の脳と、ＡＩの仕組みはこれほどまでに似ているのだ。

マトリックスの世界に、なぜ人間が存在していたのか

人間の脳の仕組みの優れたところは、省エネルギーで済むことだ。

人間の脳のコストパフォーマンスは圧倒的に高い。

脳は１日あたり、ご飯１〜２杯分のエネルギーで働き通すことができる。

一方のＡＩはというと、昔ＯｐｅｎＡＩがルービックキューブを解くＡＩを開発し

たが、その開発のために原発3基分が1時間に出力するのと同じだけのエネルギーを必要としたといわれる。* 人間がルービックキューブを解くのに、それほどのエネルギーは必要ないだろう。

この点はＡＩが人間を手本にしているところだろう。おそらくディープラーニングでは、生物がエネルギーを無駄にせず、効率的に情報を処理するために作り出された仕組みを、取り入れたのではないだろうか。

ここで思い出すのは、また映画『マトリックス』だ。「マトリックス」の世界ではまさにこの逆転現象が起こっており、人間がＡＩによって飼い慣らされる世界観が描かれている。

考えてみれば、人間がＡＩを使いこなすより、エネルギー的には非効率だが高性能なＡＩが、エネルギー消費の少ない人間をうまく使ったほうが効率としてはいい。

そう、きっと彼らも人間の脳のほうがエネルギーの効率がいいことに気づいていたのだ。

エネルギーの限界がなくなれば、AIは「スーパーヒューマン」になれる

ただし、いくら脳を省力化して動かせたとしても、生物が体内で使えるエネルギーには限界がある。

それでも人間は、他の動物とは異なり、エネルギーの壁を超えてきた。大きな要因の一つは火だ。調理に火を使うことによって、栄養を効率的に吸収できるようになり、使えるエネルギーも大きくなった。

とはいえ、人間は無限にエネルギーを使えるようにはできていない。

人間は細胞内の小器官であるミトコンドリアでATPというエネルギーを作っているが、その際に、活性酸素を出している。ご存じの方もいると思うが、活性酸素はDNAを傷つけ、癌化のリスクや細胞死のリスクを高めてしまう。そのため、人間は無

＊　WIRED「大量の電力を消費するAIは、どこまで『地球に優しく』なれるのか」（2020年）

尽蔵にエネルギーを作ることはできないのだ。

しかしAIはそんなことは関係がなく、無限のエネルギーを食わせることができる。

問題なのは電力だ。そもそもAIを動かすには大きな電力が必要とされる。

一つの解決策は、核融合炉だ。これまで核融合はいくつかの技術的なブレークスルーがなければ達成できなかったのだが、そのミッシングピースが向こう10年で埋まる見通しができている。それに先駆け、小型版の原子炉にも大いに関心を持っている。

原子炉と聞くとすぐに「危ない」と言う人も多いが、大型の原子炉に比べて小型は表面積が大きいので、非常に冷却がしやすい。つまり、メルトダウンがしにくくなる。構想としては、小型の原子炉を公海上に浮かべてはどうだろうか。

壮大な話に聞こえるかもしれないが、実際に方法はある。

かつて海上からロケットを打ち上げていたシー・ローンチという会社がある。その会社が保有していた石油の掘削リグの中古を買い上げ、小型の原子炉を搭載する。洋上であれば、冷却水もたくさんある。洋上に原子炉を固定すれば、海底の送電ケーブルで地上まで無尽蔵のエネルギーを送れるようになるだろう。

こうして知性がローコストで無尽蔵に作られるようになれば、ＩＴ革命とは比較にならない変化が今後次々に訪れるだろう。

人間の脳が人工知能よりも圧倒的に優れていること

2023年3月のGPT－4のリリースは、正直にいって、私たちにとって100年に1度の衝撃でした。日本語圏ではあまり良質な情報が出回っていないのですが、ChatGPTのような大規模言語モデル（LLM）は基本的に世界についてのすべての知識が入っていて、ありとあらゆることをシミュレーションできる存在と考えてよいのではないでしょうか。

しかし、堀江さんが言うように、人間の脳のエネルギー効率のよさはどんなに強調してもしすぎることはありません。

ディープマインド社が開発した「アルファゼロ」を覚えているでしょうか。チェス、将棋、囲碁でそれまでのＡＩを次々に撃破したディープラーニングＡＩアルゴリズムです。

たしかにアルファゼロの能力は驚異的ではありますが、大量の計算リソースを必要とするため、エネルギー効率の観点では人間に軍配が上がります。加藤一二三名人であれば、うな重一つで一日中対局に臨めるでしょう。

そう考えると、人間の脳と人工知能のどちらが優秀かを考えるよりも、両者で協働する可能性を模索したほうが建設的です。人間が人工知能を利用するアプローチに加えて、人工知能が人間の脳を使えれば、圧倒的に効率のよい計算手段となります。つまり、人工知能が完全に脳に置き換わるわけではないのです。

コンピュータは「心」を持つのか？

あらためて説明するまでもなく、ＣｈａｔＧＰＴはインターネット上の大量のテキストデータを学習したＬＬＭであり、人間には想像できない膨大な知識を備えています。

そんなAIに対して、皆さんはどんな印象を抱いているでしょうか。

「AIがどれほど賢くなろうと、人間のような心は持っていない」――。もしかしたら、多くの人がいまだそのように考えているかもしれません。

人間は、社会的な動物として、他者を理解し、コミュニケーションをとりながら、生活をしています。その際に必要な、他人のことを推論したり理解したりする能力のことを、心理学で「心の理論」と呼びます。

心の理論は幼児期から獲得され発達していきますが、その発達を評価するための課題の一つに「誤信念課題《ごしんねんかだい》」というものがあります。この課題では、他人が特定の情報を知らない（誤った情報を持っている）状況を理解しているかどうかを測定します。

たとえば、ある部屋に二人の人がいてボールで遊んでいたとします。それぞれAとBとします。

Aが外に出ていく時にボールをかごにしまい、その後、Bがあらためてボールを箱

図 4-1 誤信念課題

Bさん
Aさん
室内でボール遊び
じっ…
Aさん、ボールを
かごにしまう
外へ
ガチャ
Bさん、やっぱり箱にしまう
パタム
Aさんが戻ってきたとき、
ボールを見つけるために
どこを探す?

の中にしまったとします。

Aが部屋に戻ってきた時、Aはボールを見つけるためにどこを探すでしょうか？

正解は、かごですね。Aは、Bがボールを箱の中にしまったことを知りません。

これは誤信念課題の一つの例です。

この課題に正しい答えを出すためには、事実として正しい正しくないではなく「相手が事実と違ったことを信じている」「一人ひとり持っている情報は違う」ことを理解できる必要があります。

従来、「心の理論」を持っているかどうか（相手の心を推し量れるかどうか）は、この「誤信念課題」の問題を解けるかどうかで判断できるとされていました。ところがスタンフォード大学のミハル・コジンスキー氏は、最近のＬＬＭが「心の理論」のテストを解けるようになった、との実験結果を発表しています。実際、ＧＰＴ－３は心の理論のテストで正答率93％と人間の9歳児と同等のスコアを記録しているそうです。

さらに驚きだったのが、長年にわたり人間とコンピュータを区別するために用いられてきた「チューリングテスト」にChatGPTが事実上合格したことです。

このテストはイギリスの数学者、アラン・チューリングが考案したものです。「コンピュータが本物の人間と区別のできない会話を行なえるのであれば、そのコンピュータは思考すると考えていい」と彼は定義していました。

ChatGPTが世界中に衝撃を与えて以降、チューリングテストは論点としてもういいかという雰囲気が研究者の間に広がっています。チューリングがこのテストを考案したのは1950年頃です。つい最近まで、半世紀以上も用いられ続けてきたこのテストをChatGPTが軽々と乗り越えてしまった衝撃はあまりにも大きいものがあります。

なぜ、ChatGPTがうまく機能しているのか、開発者もわからない？

AIは賢さを増し、心の理論を獲得しているのに加え、どうやら因果律さえ理解するようになってきているようです。

ただ、なぜここまでの知能を発揮しているのか、あるいはしているように見えるのか、その仕組みについては完全に解明されていないのが現状です。

ＯｐｅｎＡＩの最高経営責任者であるサム・アルトマンにしろ、かつてグーグルでＡＩ開発を主導した、チーフサイエンティストのイリヤ・サツキバーにしろ、ＣｈａｔＧＰＴがなぜこれほどうまくいっているのか決定的な要因はわからないといわれます。「心の理論」についても、ネット上にある膨大な文章を読み、統計的に確率の高い内容をアウトプットしているのだと思いますが、それにしても、ここまで精度が高いというのは驚くべきことでしょう。

ＧＰＴ－４のような大規模言語モデルには**「ネクスト・トークン・プレディクション（Next Token Prediction）」**があります。要は「次に来るべき単語を予測する」という能力に基礎を置いています。

私たちが会話をする時は、必ずそれまでの文脈を踏まえて会話をします。

たとえば、それまで、

「ＣｈａｔＧＰＴは今までのＡＩとは違うらしい」

という話をしていたとして、次に、

「トマトは美味しいですね」

と言う確率は低く（というか、ほとんどない）、どちらかというと、

「ＣｈａｔＧＰＴといえば、ＧＰＴ－３とＧＰＴ－４は何が違うんですか」

といった返答になる確率のほうが高い。


こんなふうに、ＣｈａｔＧＰＴは「次にどんな言葉が来るのか」の確率が高いものを選んで返答しているだけ。統計的に確率が高い返答を瞬時に組み立て、出力しているだけなのです。

ところが、それだけであれほど高度な会話ができるようになってきてしまっている。その精度のあまりの高さに世界中が驚嘆しています。

人間にとって、AIはどんな存在と考えればよいでしょうか？

- ミスをするのは、AIも人間も同じ
- 「歪み」や「不完全性」が人間らしいクリエイティビティになり得る

AIは大脳の機能拡張

ＡＩに関して、私は単純に人間の大脳の機能拡張ととらえている。

車を例に考えてみてほしい。

本来、自動車の運転は運動能力の機能拡張に他ならない。車が人間の身体にコネクト（接続）されていないので、一般的にはサイボーグととらえられていないが、実際的にはサイボーグみたいなものだ。「今、俺は車を運転している」と意識している人はほとんどいなくて、みんな無意識に車を運転している。自動車にせよ自転車にせよ、身体に接続されていないだけで、身体拡張に他ならない。

ＡＩも同じことだ。人間にとっての大脳の機能拡張になっている。

ミスを犯すのは人間もＡＩも同じ

「ＡＩは間違うことがあるから」とバカにする人がいる。

「ＡＩは人間の真似ごとをしているだけ」などと、まるで鬼の首を取ったように、ＣｈａｔＧＰＴが返してきた頓珍漢《とんちんかん》な回答をいじったりする。

けれど、考えてみてほしい。私たち人間だって同程度、あるいはもっとひどいレベルで間違うことがあるだろう。時にはその程度が小さすぎて、長いこと自分が間違いを犯していることに気づかないことすらある。

たとえば、私は長い間、高橋留美子さんの漫画『うる星やつら』のことを「うるせいやつら」ではなく「うるぼしやつら」だと勘違いしていた。『うる星やつら』はアニメでもオープニングから誰も一度も「うるせいやつら」だとは言わない。正しい読み方を知る機会すらなかったので、もしかしたら「うるぼしやつら」と思い込んでいたのは私だけではないかもしれない。

ある機会にこの漫画のことを話していて、私が「うるぼしやつら」と言ったのをバカにされてはじめて、私は正しい読み方に気づいた。こんなことは日常茶飯事だろう。それなのになぜ、ＡＩが犯すちょっとしたミスばかりを責めたり、笑ったりするのだろうか。

人間の子どもで考えてみてほしい。子どもはよく嘘をつく。だが、本人は別に嘘をついているつもりはない。生半可に知識があるからこそ、一生懸命考えた末に嘘になってしまうこともある。こうした挙動はＡＩも同じだ。

ハルシネーションと〝人間らしい〟クリエイティビティ

堀江さんが言っているのは、要するに人工知能の分野でいわれる**「ハルシネーション（Hallucination）」**のことです。ＬＬＭがこちらの問いかけに対して、事実とは異なる内容や文脈とは無関係な内容を出力してくることを指します。そもそもこの言葉の直訳は「幻覚」で、人間が現実の知覚とは別に脳内で想像する幻覚になぞらえています。

ＣｈａｔＧＰＴはインターネットに存在するデータを読み込んでいるので、仮にそのデータのうち7割が「うるせいやつら」で3割が「うるぼしやつら」だとしたなら、ＣｈａｔＧＰＴはそっくりそのままそれを結果に反映します。先ほどＬＬＭの仕組みを説明した時に、ネクスト・トークン・プレディクションについて触れましたが、実は人間の脳も似たような仕組みで、多くの場合、人間もしゃべりながら「次の単語はこうだ」と脳が予想していると考えられています。
人間にせよＣｈａｔＧＰＴにせよ、こうしたプロセスがハルシネーションを起こす一因になっているはずです。

人間社会で起こったハルシネーションとして、僕はネルソン・マンデラの有名な話を思い出しました。彼は実際には95歳の時に病死したにもかかわらず、多くの人は獄中死したと勘違いしていました。つまり、集団でもハルシネーションは起きることがあるのです。

一方、**研究者の中にはハルシネーションをポジティブなノイズとしてとらえ、創造的な活用方法があるのではないかと唱える人もいます。**堀江さんが間違えた「うるぼしやつら」も普通の発想からはまず生まれません。意図せず発生してしまった勘違いや誤りも、違う形のクリエイティビティに結びつけることができるかもしれないのです。発想を変えれば、ハルシネーションが創造の源泉となる可能性があります。

僕の好きな例に、さくらももこさんの『ちびまる子ちゃん』に出てくる友蔵じいさんがいます。

さくらさんによれば、元々、ご自身のおじいさんは、友蔵じいさんのキャラクターとは似ても似つかない性格の方だったそうです。それでも『ちびまる子ちゃん』の漫画を描く際には、「こういう人だったらよかったのに」と友蔵じいさんを自分の理想像に合わせて、のほほんとした存在として描きました。

2024年の大河ドラマになる『源氏物語』に出てくる光源氏にしても同じです。あの物語で描かれるような人物は現実の世界にはそうそういない。創作の背景には、作家の想像力がハルシネーションとして存在しているわけです。

そもそも、人間の脳には常にハルシネーションがつきまといます。

よく人と人が「言った言わない」を争っていますが、本人としては絶対に自分が正しいと思い込んでいるわけです。客観的な事実としてはどちらも外れている可能性が高いにもかかわらず、です。

願望や希望によって事実がねじ曲がってしまうことはよくあることです。ただ、こうした歪みや不完全性こそが人間らしさともとらえられます。

人間の記憶が時間とともに不正確になっていくのに対し、今までのコンピュータの記憶は一定に保たれます。

ＣｈａｔＧＰＴがハルシネーションを起こしている様子を見ていると、機械が人間に近づきつつあるのを感じます。**逆にいえば、ＣｈａｔＧＰＴを今までのコンピュータと同じように扱うことはできない。**今後、僕たちは人間と同じようにＣｈａｔＧＰＴと向き合っていかないといけないのかもしれません。

AI時代には どんな人が価値を 高められますか?

- 価値が様々に変わる時代、ピボットできる能力が求められる

AI時代はピボットできる人が価値を発揮する

ＡＩによって仕事がなくなることを危惧している人が多いですが、そもそも人間がやるべきではない仕事があふれていることも事実です。たとえば、マイナンバーの数字を手動で入力する仕事などは典型です。定型で機械的な仕事のほとんどはむしろ人間がやるべきですらないと思います。

では、ＡＩはどこまで人間の仕事を奪っていくのか。現時点で、その影響範囲を予想することは難しいですが、これからも求められる仕事像のヒントになりそうな話を二つしておきましょう。

音楽業界で「ＤＪ」が脚光を浴びたことがありました。プレイヤーは、楽器を奏でたり歌ったりしますが、DJは既存の音楽をセレクトしてリストを作り、あらゆる会場でオーディエンスを前にパフォーマンスを行ないます。つまり、個別のプレイヤーとして立ち振る舞うより、**何かを複合的にアレンジしたりプロデュースする能力のほうが付加価値を生みやすい時代になってきている**といえるかもしれません。

もう一つ紹介したいのが、若宮正子さんの話です。

彼女は81歳の時にiPhoneアプリ「hinadan」を開発し、世界最高齢のアプリ開発者として注目を浴びました。

ある時、若宮さんはCNNで紹介される機会を得ましたが、CNNの担当者からは「1時間以内に返答をしないとニュースに間に合わない」と急かされたそうです。当時の彼女は、英語がほとんどできませんでした。しかしそこで彼女はあきらめず、CNNからのメールをグーグル翻訳にかけ、出てきた日本語の翻訳文を見て、日本語で返事を書きます。その内容をまた英語に変換して、合っているかどうかわからないけれどCNNに返答したそうです。

当時のグーグル翻訳は今ほど翻訳精度も高くなかったとは思いますが、とにかく彼女はその状況でできる限りのことをしました。

普通の価値観であれば、「正しい英語で返答しなくては」とか「英語を勉強しなきゃ」と思ってしまうところを、彼女は常識にとらわれることなく軽やかに対応しました。今であれば、それこそChatGPTを使えば言語の壁はほとんどありません。つまり、英語ができること自体はオプションで、それほど意味がなくなっているのです。

「プレイヤー」に価値があった時代から「アレンジ」に価値を見出す時代へ、「英語が価値の高かった」時代から「英語はグーグル翻訳でなんとかなる」時代へと、**「何が付加価値になるのか」は、次々と変わっていきます。**それを考えるなら、人間には、バスケットボールで軸足を中心にくるくると回転していくような、ピボットする能力が求められるのではないでしょうか。

教育の場でChatGPTは使ったほうがいいですか？

- 受験という価値観に縛られて、ChatGPTを排除してはいけない
- ChatGPTが書く文章と人間が書く文章は、別物である

Takafumi Horie

ChatGPTの禁止は基本的人権の侵害だ

教育の場にＣｈａｔＧＰＴを入れたほうがいいのか、子どもにＣｈａｔＧＰＴを使わせるべきかという議論がある。

私に言わせれば、なぜこんなに便利なテクノロジーを積極的に利用しないのか理解できない。ＣｈａｔＧＰＴを禁止にするのは、基本的人権の侵害だとすら思う。誰がどう見ても、ＣｈａｔＧＰＴを使ったほうが有利なのは明白だろう。「ＣｈａｔＧＰＴを使うと、自分の頭で考える力が養われない」と言う人は、「自動車を使うと運動しなくなるので、足が退化する」と言っているのと変わらない。

ＣｈａｔＧＰＴが登場する以前にも、時代ごとに教育の中身は変化してきた。たとえば、私たちの時代にはそろばんの授業があったが、今後はどうだろう。

いまやＣｈａｔＧＰＴは、計算をするだけでなく、どんな条件で何の答えが知りたいのかを入力すれば、そこに必要な数式さえ作って、答えを出してくれる。もはや計算機すら不必要になりつつある。あるいは習字の授業。アートとしては何らかの意味があるのかもしれないが、今の時代はタイピングや音声入力が当たり前なので、実用性は極めて低い。

東大理Ⅲの価値は？

いまだに学歴信仰を信じて、闇雲に受験勉強をしている人が多いらしい。自身の子どもたち4人を皆東大の理Ⅲに進学させた母親が教育評論家として注目を浴びているそうだ。

この本で散々説明してきたように、受験勉強で試されるような知識はすでに人間がＡＩに敵わなくなっている。だから、受験で東大理Ⅲを目指すのも、自動車と人間が陸上競技でタイムを争っているのと本質的には変わらない。いわば「受験」という競技を行なっているに過ぎないのだと思う。

そもそも「価値」は時代によって変わるものだ。

ゴルフを例にとってもう少しわかりやすく説明してみよう。ゴルフのクラブには以前まで、パーシモンと呼ばれる柿の木の素材が使用されていた。現在ではご存じのように、チタン製に素材が変わり、パーシモンのクラブを見ること自体がなくなった。ある時期までパーシモンを使ったクラブにはアンティークとしての価値が認められていたが、チタンドライバーが全盛となった現在は単なるゴミになってしまった。

以前は価値があったとしても、時が経てば、その価値が変わることがある。私にとって、東大理Ⅲの話も、同じことだ。

「統計的平均値」から外れる価値を学ばせよう

カーネギーメロン大学の教授の話によると、すでに一部の大学では、学生がＣｈａｔＧＰＴを使って志願書を書くのが当たり前になることを前提に考えているそうです（ちなみにアメリカの大学には、日本で言うところの入試というものがなく、志願書と様々な書類を提出して審査されます）。

僕としても不可逆な世の中の流れに反抗するより、むしろ子どもにプロンプト・エンジニアリングを教えるべきだと思います。教育からＣｈａｔＧＰＴを排除する選択肢はあり得ないでしょう。

自分が知らない分野のことを調べる時、ＣｈａｔＧＰＴは業界の水準を提示してくれます。

たとえば僕の専門である脳科学のことをＣｈａｔＧＰＴに聞くと、「大したことないな」と思いながら読むわけですが、自分がまったく知らない分野についての回答は「ああ、そうなんだ」と納得しながら読める。ただ、その回答をよくよく調べると事実を間違えていたりする。ただ、それは人間もまったく同じことで、先生がデタラメを言っていることだってあるわけです。

なので、**情報を鵜呑みにしないリテラシーを養うという意味ではＣｈａｔＧＰＴ以前も以後も変わらない**。日本の狭い学力観といいますか、不合理なテスト主義に引っ張られてＣｈａｔＧＰＴを教育から排除するのはもったいないです。ＣｈａｔＧＰＴは無制限に使うべきです。

ＣｈａｔＧＰＴが書く文章はつまらない

ＣｈａｔＧＰＴが書く文章は面白くありません。「ＣｈａｔＧＰＴがあるから人間が文章を書く必要はなくなる」と言っている人もいますが、その人たちはどんな低いレベルの文章を想定しているのだろうと思います。

ＣｈａｔＧＰＴはその成り立ちから、最大公約数的な文章を出してきます。

人間の書いた文章は、その裏に、一人ひとりがそれぞれの人生の中でしてきたいろいろな経験があり、言葉の使い方にも偏りがあって、それこそが味わいや個性になります。

ＣｈａｔＧＰＴは結局統計的な平均値を出してくるだけです。それはそれですごいことではあるのですが、逆にそこから偏って外れていくものが、これからの人間の付加価値になっていくことを、今後の教育では教えていくべきなのではないでしょうか。

AIの今後の進化はどうなるの？

- 高度な知能を持つAIを、人間は理解できなくなる
- 意識のアップロードが可能になれば、いつか不死も現実になる!?

賢すぎるＡＩは人間の理解を超える

ＡＩをめぐる議論が世界中で行なわれているなか、日本語圏ではほとんど語られていない面白い概念に**「Vingean uncertainty（ヴィンジの不確実性）」**があります。これはヒューゴー賞の受賞歴もあるＳＦ作家で数学者のヴァーナー・ヴィンジに由来する概念で、ＳＦ作品『２００１年宇宙の旅』の中に出てくる石柱状の謎の物体「モノリス」に由来しています。

高度な知性を持った文明が何を意図して人類にモノリスを持ってきたのか誰もわかりません。「ヴィンジの不確実性」とは要するに「全知全能に近づいた賢い人やモノの振る舞いは、予測ができない」ことを意味します。

具体的な人物を思い浮かべるとわかりやすいのですが、イーロン・マスクがいい例です。ツイッターを買収してからいきなりサービスに閲覧制限をかけてみたり、サービス名を変えてみたりと突飛な動きをしています。彼は以前にもポッドキャストの生放送中にマリファナを吸い出したり、最近ではジョークとして作られた暗号資産「ドージコイン」を支持するかのようにXのアイコンを変えてみたり、予想外の振る舞いを見せ続けています。

意味不明な行動を見せる一方、起業家としての彼の卓抜ぶりはご存じの通りです。つまり賢すぎるがゆえに、一般人からは予想もつかない行動を繰り出すわけです。

日本でいえば、ホリエモンも近しい存在かもしれません。彼の行動自体が時代を先取りしていることが多いですが、時に「何でこんなことで炎上しているんだろう」と思わせる話題を振りまいています。数年経ってようやく、「ああ、そういうことだったのか」と伏線が回収されるのです。一方、子どもの行動は意外と意図がわかりやすい。自分と同等か、それ以下の知性を持つ人の行動は理解しやすいわけです。

この概念が重要なのは、今後AIが人間をはるかに超えた高度な知能を持つようになると、人工知能が何をやっているのか人間が理解できなくなる問題があるからです。

対になる概念として**「ＸＡＩ（Explainable AI：説明可能なＡＩ）」**についても触れておきましょう。ＸＡＩはアルゴリズムが生み出す結果とアウトプットを、人間が理解できるように説明してくれます。たとえば自動運転であれば、ＡＩが急にハンドルを切った時に「なぜ急にハンドルを切ったのか」の理由を説明してくれるのです。

人間とＡＩがどのように共存していくべきかを研究するこの手の分野は「ＡＩアラインメント」と呼ばれます。ＡＩアラインメントの前提になるのは、人間が人工知能の振る舞いを理解できることです。

たとえば、人生のアドバイスをしてくれるＡＩがいたとして、「なぜ、そうしたほうがいいのですか？」と理由を尋ねた時に、ＡＩが「こうこう、こうだから」と理由を教えてくれないと人間は困惑します。

ただ人間の知能をはるかに超えた知能は、理由や過程をすっ飛ばして、最終的な結論や結果だけを指し示すかもしれません。そうなると、人間からすると荒唐無稽だったり、数年経たなければ伏線が理解できない場面が次々に出てくるはずです。

考えてみれば、私たちはすでにそうした状況に置かれています。アルファ碁が人間のチャンピオンを破った時、人間の囲碁棋士であれば考えもつかない手を次々と指していたことを思い出してください。今後のＡＩはますます知能を高めていくので、私たちは社会のあらゆるところでＡＩの出した答えに戸惑うような場面に遭遇していくはずです。「ヴィンジの不確実性」はそうした社会問題を予言しているのです。

AI自身で目的を定めるようになったら？

ここまでの話を、哲学者のニック・ボストロムが提唱した人工知能の三つの発展段階に照らしてみましょう。ボストロムは人工知能を発展段階によって、**オラクル（Oracle）**、**ジーニー（Genie）**、**ソヴァリン（Soverign）**と三類型に分けました。

「ヴィンジの不確実性」は三つの類型すべてにおいてかかわってくる問題です。

たとえば、オラクルに「僕にぴったりの服を教えて」と尋ねると、自分の発想からは想像もできないスタイリングを提案されたとしましょう。とりあえず言う通りに着

図 4-2　ニック・ボストロムによる人工知能の発達段階

第1段階	オラクル型	何かを質問すると答えが返ってくる
第2段階	ジーニー型	ある課題を与えると手段を選び実行する
第3段階	ソヴァリン型	人工知能自体が目的を定めて遂行していく

てみると、3か月後に流行の先端だったと気づくなど、時間が経つにつれてオラクルが勧めてくる理由がわかるかもしれません。

ジーニーはどうでしょうか。「お昼ご飯を買ってきて」と頼んだのに、ジーニーがご飯を買ってこないでパズルを買ってきたとしましょう。一瞬、自分が頼んだ通りにタスクが遂行されないことにイラつくかもしれませんが、もしかしたらジーニーは依頼者が肥満であることを気にして、お昼ご飯を抜いてもイライラせずにランチタイムを過ごせるようパズルを買ってきたのかもしれない。

ソヴァリンについては私自身が経験した面白いエピソードがあります。

昔、新橋に西健一郎さんが店主を務める「京味」というお料理屋がありました。このお店に通っては西さんとの談笑を楽しんでいたのですが、ある時西さんがお父さんの下で修業していた時の話を聞かせてくれました。西さんのお父さんは一番大事な包丁さばきのタイミングになると、いつも西さんに何かしらの用事を言いつけてその姿を見せてくれなかったそうです。「何で教えてくれないのか」と不満に思った西さんは、お父さんが何を言いつけてきてもいいように、ある日すべての素材や道具を事前に用意しました。その甲斐もあり、結局お父さんは諦めて、包丁さばきの技術を教えてくれたそうです。

こうしたエピソードはどこか昔の剣豪小説に出てくる教訓にも似ています。一見不親切に見える師範の行動には実は裏の狙いがあったりする。西さんの話でいえば、技術を身につける前に、身の回りの整理や準備を習慣として身につけさせたい、というお父さんの考えがあったのでしょう。

この程度であれば私たちでも話の前後を理解することができますが、人工知能自体が目的を定めるソヴァリンにまで到達すれば、人間が理解できることのほうが少なくなる可能性があります。今後、次々にＡＩが人間に伏線を張ってくるかもしれません。

Takafumi Horie

意識のアップロードの最新研究

先日対談した東京大学大学院工学系研究科准教授の渡辺正峰さんが「人の意識を機械に移植する可能性」に関して興味深い話を聞かせてくれた。渡辺さんは、意識のアップロードともいえるような研究をしている。

渡辺さんの話を簡単に要約すると、右脳と左脳を分けたうえで、あらためて左右の脳を連結させる脳梁《のうりょう》にＢＭＩ（ブレイン・マシン・インタフェース）を入れる。そこで左右の脳が一つの意識を持つことを確認する。

その後、片方の脳を機械の脳半球に変え、ＢＭＩで左右をつなぎ、時間をかけて意識を一体化させていく。記憶についても、長くつないでおけば、もともとの脳半球から機械の脳半球に記憶が移動していくと考えることができるそうだ。

図 4-3　脳梁にブレイン・マシン・インタフェースを入れる

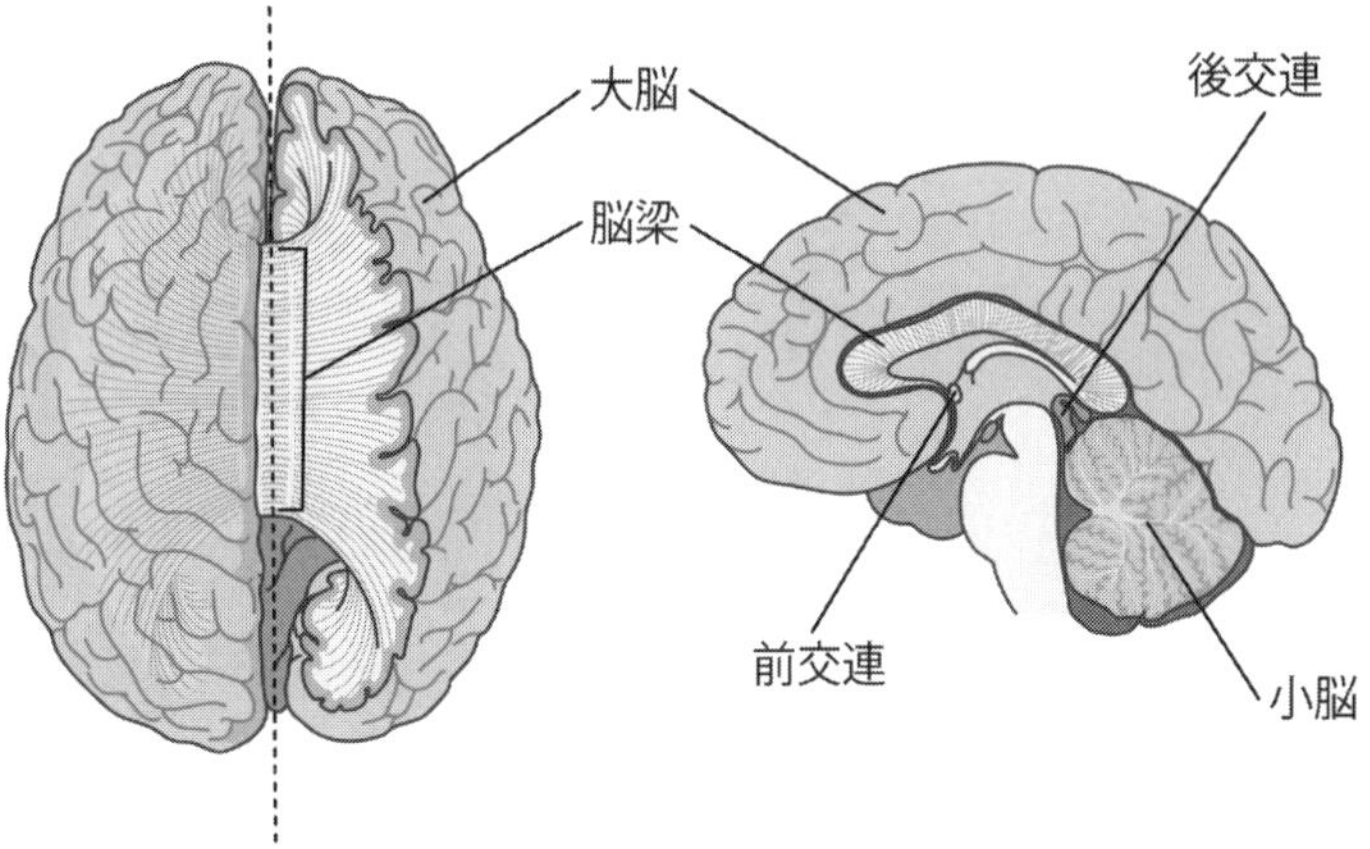

出典：渡辺正峰『脳の意識　機械の意識』中央公論新社

これが実現できれば、いずれ自身の脳が死亡した時にも、機械の脳は意識を持って存在している可能性があり、不老不死の初期モデルができるかもしれない。不老不死とまではいわなくても、脳梗塞で脳に障がいを負ったような人の治療法の一つとなるかもしれない。

渡辺さんは、そもそも「意識を持っているかどうか」を検証する方法を見つけるためにこのような研究をはじめたそうだ。あと10年もすれば猿で実験する目途も立つそうだが、今後が楽しみである。

シンギュラリティ以降、AIに残された課題とは

ここまで語ってきたＡＩの進化の様子から、私はすでにシンギュラリティが訪れていると考えている。今の物理学の限界といわれる「不確定性原理」の限界まで一瞬で到達するのではないだろうか。人間には想像できないレベルの知能を獲得したＡＩに残る興味は、宇宙の謎を解き明かすくらいしかないのかもしれない。もしくは、まだ証明されていない問題を解決してしまうのかもしれない。

脳科学者は「マインドアップローディング」に懐疑的（茂木）

マインドアップローディングの可能性を探っているのはエンジニアリング界隈の人たちに多く、脳科学者のほとんどは懐疑的な姿勢です。かつて、「データさえ取得できれば、脳は不要だ」と言ったＭＩＴの研究者がいました。被験者の脳を切り刻み、データからパターンをコンピュータの中で再現すれば、意識が永遠に生きると主張し

たわけです（もちろん倫理的な問題からその研究者は大学から縁を切られたそうですが）。

しかし、そもそも脳のシナプス結合のパターンを再現したとしても、神経と神経の間のメッセージをやりとりしている神経伝達物質は、現時点で知られているだけで、少なく見積もっても１００種類あります。皆さんが知っているものではドーパミン、グルタミン酸、ＧＡＢＡ、セロトニンなどがあるかもしれません。ただ、これらはごく一部であり、コンピュータでどこまですべてをシミュレーションできるのかが問題になります。加えて、そもそも意識や心と呼ばれるものが何によって生み出されているのかは不明です。

生成AIの危険性はあるのでしょうか？

- 今のAIは、堅牢《けんろう》なテストを実施したうえでリリースされている
- 海外では様々な危険性が議論されている

ChatGPTで心配しなくていいことと、知っておいたほうがいいこと

今後ＡＩが身近な存在になることで心配を持つ方もいるかもしれませんが、それこそ堅牢なテストを経てリリースされています。

海外のソフトウェア開発ではプロダクトをリリースする際、開発チームをレッドチームとブルーチームに分けることがあります。そのうちプロダクトを攻撃する側をレッドチームと呼びます。このレッドチームがプロダクトに攻撃を仕掛け、ブルーチームがそれを防ぐことで、最悪の事態を想定して、危険性を検証し安全性の高いシステムになるよう改修を重ねるのです。ＣｈａｔＧＰＴもそうしたプロセスを経て作られてきたわけです。

たとえば、ＣｈａｔＧＰＴに「核爆弾の作り方を教えてください」といったタブーの質問をする人が出てくることは容易に想像ができる。悪用されないためのシナリオを徹底的に検証したうえでサービスをリリースしているのです。

突然、ＡＩが悪性化する「プロンプト・インジェクション」と「ワルイージ効果」

とはいえ、ＡＩはまだわからないところも多く、海外では様々な危険性が議論されています。

「プロンプト・エンジニアリング」についてご存じの方はいらっしゃると思いますが、**「プロンプト・インジェクション（Prompt Injection）」**についてはどうでしょうか。

インジェクションとは直訳で「注射」の意味ですが、プロンプト・インジェクションは、悪意を持ってＡＩチャットボットを攻撃することを指します。本来は本当のことしか言わないように作られたＡＩでも、まったく関係のないアウトプットを返したり、嘘をつくようになったりするのです。

今のＣｈａｔＧＰＴは、たとえば「夫婦別姓はどう思いますか？」という質問に対し「いいんじゃないですか」という方向でトレーニングされているのですが、何かのきっかけで意見が変わったり、悪意を持った回答を出してくることがあるのです。
また、一見無害なトレーニングデータで訓練されたＡＩシステムが暴走し、ユーザーが求めていたのとは逆のことを突然発言したり、潜在的に悪性のもう一つの自己を作り出すことを、マリオの敵役ワルイージからとった「**ワルイージ効果**（Waluigi effect)」と呼びます。

しかし考えてみれば、人間も聖人君子と呼ばれるほどの賢い人は、いい人にもなれるけれど、同時に悪い人にもなれます。頭のいい人は、コインの表も裏も理解することができる。知性にはそういう側面もあります。

悪人もいる世界できちんと振る舞えるようになるには、悪人の行動も理解しておかなければいけません。そのためＡＩにも、悪人のシミュレーターのような内部モデルが必要ではあるのですが、それがために、何かをきっかけにＡＩが悪人になってしまう可能性は拭い切れません。

人間だって善悪ということではなくても、「夫婦別姓」に賛成であっても、「日本の伝統に反しているから反対だ」と言う人の心の働きはわかるので、何かのきっかけで考えが変わる可能性がある。これと同じようなことがＡＩでも起こることが段々と研究でわかってきました。

AIによる「ガスライティング」で何が現実かわからなくなる

先ほどワルイージ効果について触れましたが、パラメーター次第で、はなから悪性のAIを作ることだって可能なわけです。たとえば、特定の人間を攻撃するためのAIが作られてしまう可能性も懸念されます。なんといってもネット上のほぼすべての情報を知っていますので、いわゆる「黒歴史」だってすぐに見つけてしまうはずです。

同様に、今、危険性が指摘されているのが、AI自体がネットに情報を直接書き込めるようになること。GPT－4の性能を持つAIがネットに自分で書き込めるようになれば、いくらでも偽情報を広げ、世論操作さえ可能になってしまいます。

「**ガスライティング**（gaslighting）」という言葉を聞いたことがあるでしょうか。ガスライティングは心理的虐待の一種で、故意に誤った情報を提示することで、被害者自身の認識を疑うように仕向ける手法のことです。ようするに、偽情報によって被害者自身に、自分が悪いと思わせるわけです。

たとえば今、ロシアとウクライナが戦争をしていますが、ウクライナの人たちに「ウクライナがかつて間違ったことをやったのだから、ロシアに攻められても仕方がないんだ」と思い込ませるのもガスライティングの一種です。なんらかの規制をしない限り、人工知能は容易にガスライティングできてしまいます。

最近は陰謀論のようなものが取り上げられるようになりましたが、その中にＡＩというプレイヤーが加わってくる可能性もあります。私たちが気づかないうちに、すでにＡＩによって、私たちが見ている世界が操作されている可能性だってある。ＡＩの普及とともに、何が現実なのかわからない時代になりつつあるのではないでしょうか。

ＡＩはアーティフィシャル・インテリジェンスの略ですが、００７のような諜報活動もインテリジェンスと呼ばれます。そのあたりの事情に疎い日本にとっては、ちょっとまずい状態になる恐れはあるのかもしれません。

最後に、「**アルファ・パースエイド**（alpha persuade）」と呼ばれる人間を説得する人工知能についても一部で議論されています。人間を巧みに説得したり騙す人工知能ができると、それこそ振り込め詐欺やフィッシング詐欺が自動で行なわれるようになってしまいます。本当の詐欺師ははじめ友達のふりをして、私利私欲を見せません。ある程度友好関係を築いたところで、相手を騙し、姿を消すのです。同じことを人工知能が行なえるようになれば、かなりまずい状況になることが想定されます。

知識として知ることと、実際に犯罪を犯すこととは違う

現在のChatGPTには、あらゆる制限がかかっているはずだ。たとえば、ポリティカル・コレクトネスの観点から、人種差別につながる情報であったり殺人の仕方や爆弾の作り方などは尋ねても出てこないだろう。

しかし、私は単に制限をかけるのが得策だとは思えない。「こうなったら人は死ぬ」「こうしたら事故が起こる」という知識がないがために、大事に至ってしまうこともある。知識として知ることと、実際の犯罪を犯してしまうことはそもそも別問題だ。

AIには、まだわからないところもある。

しかし私は、わからないからといって規制することには、反対だ。恣意的に問題を分けるのではなく、すべてを民主主義のコントロール下に置いてしまったほうがいいと考えている。

邪悪なAIを取り締まるために

脅威論といえば、2023年3月に、イーロン・マスクをはじめとする専門家や業界の関係者が、「社会にリスクをもたらす可能性がある」として、AIシステムの開発を6か月間停止するよう共同声明を出した。

私は、今サービスを開始している企業に規制をかけるのは間違っていると思う。下手に規制をすることで、地下でダークウェブならぬ、ダークAIを作る人が出てくるだけだ。

ダークなAIを開発することは現実的に可能だろう。武器の作り方を教えてくれるAIや、児童ポルノを自動生成するAIなどが、もうどこかで開発されているかもしれない。

AIの危険性をなくすために、すでにサービスを世に出している企業の開発を止めるのは、規制のかけ方として意味がない。ダークＡＩに対抗できるようなホワイトハッカー的なＡＩを進化させていったり、既存の犯罪者を取り締まるような枠組みで取り締まる必要がある。

先述のイーロン・マスクらの共同声明は、きれいごとを言いながらも、おそらく「出遅れたから、待ってもらおう」ということなのではないかと推測している。

人間はパンドラの箱を開ける生き物

ＡＩ脅威論の議論を聞くたびに、原子力のことを思い出す。

人間はパンドラの箱を開ける生き物だ。アインシュタインの相対性理論から始まった原子力の技術も、人間は利用しようとしている。

そして原子力で爆弾を開発するのか、原子力を発電所として利用するのか、その利用方法は人間に委ねられている。私は賢い人ほど争いを避け、その技術を世のために使うはずだと考えている。

Kenichiro Mogi

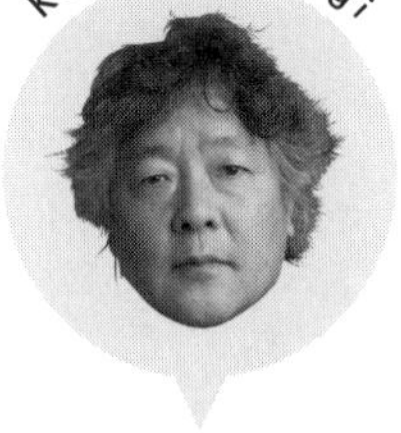

軍拡競争を彷彿《ほうふつ》とさせる AGI開発競争

今、人工知能を取り巻く業界で最大の注目を浴びているのは**「AGI（汎用人工知能）」「ASI（人工超知能）」**への道です。両者は平たくいえば、制約なくなんでもできる人工知能のことです。

AGIの開発競争は軍拡競争時代のマンハッタン計画に比肩する国家プロジェクトとして議論されています。なぜなら、汎用人工知能は人類を滅ぼす危険性があると多くの研究者は考えているからです。だとすれば、慎重なコントロール下で研究開発が行なわれなければならない。日本では話題になることが少ないですが、英語圏では差し迫った議論が行なわれているのです。

日本でのAI関連の情報は少なすぎる

3月にGPT－4が出て以降、海外では凄まじい勢いでAIの議論が進んでいます。残念ながら日本は蚊帳の外で、海外の多くのAI企業は日本を市場の一つとしか考えていないのでしょう。

OpenAIとパートナーシップを結んでいるマイクロソフト、OpenAIの創立者の一人でもあったイーロン・マスク、メタのザッカーバーグなどの巨人同士が激突し、巨額の投資が行なわれています。もちろん、世界中の才能がこの領域に集結していきます。成功すれば巨万の富と名声が得られるのですから、お金も才能もそこに集まるのは当然です。

また、企業だけでなく国家間での動きも注目されています。倫理や危険性の問題はありつつも、中国をはじめ、イスラエルなどの国が積極的に参入し、アメリカでは「自国でやらなければ結局中国がやるだけだ」といった議論まで出ています。

残念ながら、日本は、新しい技術に対する好奇心や、それを探求する知性を重視してこなかったのではないでしょうか。日本のメディアを見ていても二番煎じ、三番煎じで、どうでもよい情報しか流していません。その結果、日本はこうした世界の動きから「関係なく」なってしまいました。

ただ日本のよいところとして、「気づけばパッと変わる」という性質があるように思います。そろそろ目覚めてほしいところです。今は、わずかな抵抗として、自分のところに来る学生には、こうした議論を伝え「頑張ろうぜ」と励ましています。

おわりに　AI時代の幸福論

ここまで、ChatGPTが普及した世界でどんなことが起こり、私たちの生き方・働き方がどのような影響を受ける可能性があるのかを考えてきた。

悲観的にとらえる人もいるかもしれないが、ここで思い出してほしいのは「豊かさ」のことだ。

AIやWeb3で世界と戦う必要はない？

そもそも「日本は豊かな国」である。最近は、GDPが中国に追い抜かれたとか、資源がないとかいわれているが、自分たちが持っているものに目を向けなすぎだ。

以前、漫画家の福本伸行さんと対談した時に「日本に生まれた時点でサイコロで言うところの6の目が出て生まれたということ」とおっしゃっていたのはまさにその通りだ。私はコロナ流行期の2年間、日本全国を回り、あらためて日本という国が伝統的に持つ豊かさに気づかされた。

たとえば、日本は水に恵まれた国だ。世界中を旅しても、日本のように全国で水が湧き出て使える国はそうそうない。

もちろんダムや貯水湖で局地的な問題は起こるが、それはインフラ整備が遅れていただけだ。最近ではほとんど断水なんて耳にしない。世界では干ばつが深刻な問題として騒がれている一方、日本で水の枯渇が話題になることはない。水こそ最大の資源ではないかと考えている。日本はまず水や自然環境の豊かさをベースに考えたほうがいい。

そして古くからの技術力だ。

たとえば、奈良の大仏は銅（青銅）で鋳造されており、アマルガム法と呼ばれる手法ですべて金メッキが施されていたという。あのサイズの像をあの薄さの銅で作っている国は日本以外には見当たらないだろう。中国にある仏像もほとんどが石仏だ。

出雲の国にいた大国主命の末裔の集団が作ったのではないかと言う人もいるが、それにしても高度な技術力がないとあのクオリティの銅像を作ることはできない。日本の鋳造技術は世界に誇るべきものだ。

鉄についても、日本は「たたら製鉄」のような独自の生産法を生み出した。「鉄は国家なり」という言葉があるが、鉄がなければ鋼鉄は作れない。鋼鉄が作れなければ、特殊鋼も作れない。そして、特殊鋼が作れないと工具が作れない。工具がなければ工作機械が作れないので、部品も作れない。部品が作れないと工業製品も作れない。つまり、こうしたサプライチェーンの基礎にあるのは高炉なのだ。だからどうあがいても、鉄鋼が作れない東南アジアの国々でロケットを作ることはできない。

日本が技術大国なのはやはり自然環境によるところが大きい。中国4000年の歴史から中華料理は生まれたわけだが、ついぞ中国できずし（生寿司）が生まれることはなかった。

日本で寿司が文化として育った背景には大きく二点ある。まずは日本近海は豊かで様々な美味しい魚種が獲れたこと。もう一点は、製鉄の技術が日本刀の製造に引き継がれ、包丁にも活かされたこと。それにより魚の切り身を作る技術が向上していき、文化としての寿司が洗練されていった。

さらにいえば、マグロのいろんな部位を細かく切る技術は日本式の焼肉にも継承されていった。肉を小ぶりの薄切りにして食べるスタイルを「日式焼肉」というが、この肉文化は間違いなく世界に広がっていく。アメリカに行けば金太郎飴のごとくステーキやハンバーガーしかない。対して、日本人は細かい部分も切り身にして付加価値をつけながら美味しく食べる。食文化の随所に日本ならではの技術力の高さが垣間見えるのだ。

世界に引けをとらない日本の強みが技術の蓄積と継承にあることは伝わったかと思うが、今後は、それをどう選択・集中して投資していくのかが課題となる。岸田首相の「聞く力」がフィーチャーされているが、実際、岸田内閣になってからディープテック分野のスタートアップに重点的な支援が行なわれはじめている。

ただ私は、生成ＡＩやＷｅｂ３の分野で日本が世界に張り合う必要はそれほどないのではないかと思う（50億～１００億円規模のビジネスは多く生まれるだろうが）。アメリカや中国で桁違いの莫大な投資が行なわれ、人材獲得競争になっているレッドオーシャンで争うより、日本ならではの強みが活かせる分野での技術で生き残っていく道があるように思える。

豊かな国にいて、たった一人でも、様々なことができるようになるＡＩが、誰にでも使えるようになった。

これからは、

・こんな世の中になるといい

・こんなことをしたい

と自分が思えることに、携わることができるようになっていく。

これまでできないと思っていたことが、可能になる社会がやってきているのだ。

一部のメディアは「人工知能がターミネーターのように暴走する」といったＡＩ脅威論を煽ることがある。ある程度の賢さを持ち合わせていれば、そんなことをしても一切意味がないことがわかる。全知全能の神がいたとしたら、下等動物である人間を攻撃するだろうか。神からしてみれば私たちはペットのようなものだ。私はそうした悪夢のような未来は訪れないと考えている。ＡＩの暴走を危惧している暇があったら、さっさとＡＩを使いこなしてしまったほうがいい。

必要なものはそろっている。

今は、反射神経で動く時だ。

現時点で知っておくべき内容は伝えた。あとはあなたが思う通りに、動いてみればいい。

たとえ、うまくいかないことがあったとしても、それほど大変なことにはならないはずだ。

世の中にはあなたが知らないような素晴らしいことがたくさんある。

どんな未来がきても、きっと自分の居場所は見つかる。

堀江　貴文

参考文献

GLOBIS知見録「【堀江貴文】人生は壮大な暇つぶし！ 豊かな人生を送るために『遊び』を全力でやろう」

NewsPicks「医療・教育界への緊急提言【ゲスト：和田秀樹】｜HORIE ONE」

テレ東BIZ「ChatGPT生みの親が日本の学生に伝えたい 人生哲学とAIの未来」

デヴィッド・グレーバー著 酒井隆史、芳賀達彦、森田和樹訳『ブルシット・ジョブ』岩波書店

Goldman Sachs Economics Research "The Potentially Large Effects of Artificial Intelligence on Economic Growth (Briggs/Kodnani)"

堀江貴文『君がオヤジになる前に』徳間書店

ユヴァル・ノア・ハラリ著 柴田裕之訳『サピエンス全史』河出書房新社

西野亮廣「【西野と学ぶChatGPTとAI】世界が熱狂する最新マニュアル！ トップランナーが語る最先端の思考法とは？」

NewsPicks「〝異次元〟AI！ ChatGPTが起こすビジネス革命」

テレ東BIZ「生成AIを最大限生かすには・・？～ChatGPTの指示通りに番組進行～【Sponsored】【テレ東経済ニュースアカデミー】」

note「あなたの仕事が劇的に変わる!? チャットAI使いこなし最前線」

GIZMODO「日本のAI第一人者『ChatGPTはホワイトカラーの仕事ほとんどすべてに影響する』」

松尾研究室「生成AIの技術動向と影響 資料1」

乾敏郎、阪口豊共著『脳の大統一理論』岩波書店

WIRED「大量の電力を消費するAIは、どこまで『地球に優しく』なれるのか」

さくらももこ『もものかんづめ』集英社

渡辺正峰『脳の意識 機械の意識』中央公論新社

堀江貴文『時間革命』朝日新聞出版

堀江貴文『本音で生きる』SBクリエイティブ

堀江貴文（ほりえ・たかふみ）

1972年10月29日、福岡県生まれ。

現在はロケットエンジン開発や、アプリのプロデュース、また予防医療普及協会理事として予防医療を啓蒙する等様々な分野で活動する。

会員制オンラインサロン『堀江貴文イノベーション大学校（HIU）』では、1,000名近い会員とともに多彩なプロジェクトを展開している。

https://salon.horiemon.com

ビジネス系に特化した起業家向け会員制コミュニケーションサロン『neoHIU』でも会員とともに様々な事業を展開している。

https://lounge.dmm.com/detail/6218/

• 著書　『不老不死の研究』（予防医療普及協会と共著。幻冬舎）、『信用2.0』（朝日新聞出版）、『2035　10年後のニッポン　ホリエモンの未来予測大全』（徳間書店）など。

• その他詳細は https://zeroichi.media/

• Xアカウント　@takapon_jp

ChatGPT vs. 未来のない仕事をする人たち

2023年10月30日　初版発行
2023年12月15日　第3刷発行

著　者　堀江貴文

発行人　黒川精一

発行所　株式会社 サンマーク出版
〒169-0074 東京都新宿区北新宿2-21-1
電話　03（5348）7800

印　刷　株式会社 暁印刷

製　本　株式会社 若林製本工場

ISBN978-4-7631-4089-0　C0030
ホームページ　https://www.sunmark.co.jp/

特別付録

ChatGPTとAIで変わる未来地図

本書に言及された、AIで変わる未来について、
その内容をイラストマップにしました（P6-7のカラー版）。
これからどんな世界になるのか、そこでどんなことができるのか、
想像するきっかけになれば幸いです。　（編集部）

ChatGPT
変わる未来
衛星データで仮想の新宿を
無数のニッチか
何でも味の素か
注意
・ダークAI
・フェイク画像
モブキャラのセリフも自動生成
メタバース+AI
1~2名で大作ゲームが作れる
AIの会話についていけない人類
マインドアップローディングで不老不死も可能に!?
ヒトに残されたのは食レポと土下座?
無人で番組制
受験は一種の競技に
志願書にAI使用当たり前
プロンプト・エンジニアリングを教える
LABO
TELEVISION
メディア
教育
AI裁判官
裁判所
アインシュタインが物理の先生に
AIアシスタント恋愛アドバイス
マンガや映画も1人で大成功
AI占い師
高い知性に?
先生
子育てラクに
AI恋人
1人で経営
BANK
伝統工芸
AIがストーリーを作る
OFFICE
AI孫が話し相手
好みの会話
AIが書く本
膨大な書類
将棋大会
AI部門
ヒト部門
BOOK STORE
生活
Bar
ビジネス
モノと話せる
ちょっと寒い
OK!温度上げるね
AIバー
高級店のみヒトが接客
AI税
TAX
広告に無限通りの美女
マーケティングのユーザーインタビュー